絶叫学級

報復ゲームのはじまり 編

いしかわえみ・原作/絵
はのまきみ・著

集英社みらい文庫

絶叫学級《ぜっきょうがっきゅう》

報復《ほうふく》ゲームのはじまり 編《へん》

123時間目《じかんめ》

七夕《たなばた》怪談《かいだん》

プロローグ

みなさん、こんにちは。
絶叫学級《ぜっきょうがっきゅう》へようこそ。
私《わたし》の名前《なまえ》は黄泉《よみ》。
恐怖《きょうふ》の世界《せかい》の案内人《あんないにん》です。
私《わたし》の自慢《じまん》は、風《かぜ》もないのになびく
この長《なが》い髪《かみ》と、金色《きんいろ》に光《ひか》る瞳《ひとみ》。
不気味《ぶきみ》な瞳《ひとみ》ですって？　猫《ねこ》みたいで
すてきでしょう？
腰《こし》から下《した》が見《み》えないかもしれませんが、こちらもご心配《しんぱい》なく。
痛《いた》くも苦《くる》しくもないですから。

それでは、授業《じゅぎょう》をはじめましょう！
今回《こんかい》は、七夕《たなばた》のお話《はなし》です。
七月七日《がつなのか》、七夕《たなばた》の日《ひ》。
織《お》り姫《ひめ》さまと彦星《ひこぼし》さまが、年《ねん》に一度《ど》だけ、天《あま》の川《がわ》をこえて会《あ》う日《ひ》です。
短冊《たんざく》に願《ねが》いごとを書《か》いて笹竹《ささだけ》にかけると、それが叶《かな》うとも言《い》われています。
そんなロマンチックな夜《よる》の怪談話《かいだんばなし》。
もしかしたら、とても心温《こころあたた》まるハッピーエンドのお話《はなし》かもしれませんね。
どんな結末《けつまつ》が待《ま》っているのでしょう。
ふふ………それは読《よ》んでからのお楽《たの》しみです。

六月《がつ》の終《お》わりの、むし暑《あつ》い夜《よる》。

中学《ちゅうがく》三年生《ねんせい》の小林《こばやし》美織《みおり》は、T《ティー》シャツに短《たん》パンの部屋着姿《へやぎすがた》でベッドに腰《こし》かけ、電話《でんわ》をしていた。

「ほんと？」

スマートフォンをにぎりしめ、思《おも》わず声《こえ》を震《ふる》わせる。

「七日《なのか》、東京《とうきょう》に帰《かえ》ってくるの？　うれしい」

電話《でんわ》の相手《あいて》は、今野《こんの》一彦《かずひこ》。

美織《みおり》の彼氏《かれし》だ。

『あはは。やっぱ沖縄《おきなわ》は遠《とお》いよ～』

一彦《かずひこ》がさびしそうに笑《わら》う。

三年生《ねんせい》にあがる前《まえ》、一彦《かずひこ》は両親《りょうしん》の仕事《しごと》の都合《つごう》で沖縄《おきなわ》に引《ひ》っ越《こ》し、転校《てんこう》してしまった。

それからは、こうして電話《でんわ》をしたり、ラインのやりとりをしたりする日々《ひび》がつづいている。

いわゆる「遠距離恋愛《えんきょりれんあい》」の毎日《まいにち》。

『海《うみ》と空《そら》は、すごくきれいだよ。美織《みおり》に見《み》せたいな』

「私《わたし》、沖縄《おきなわ》って行《い》ったことないから、見《み》てみたい」

『今度《こんど》おいでよ。僕《ぼく》が案内《あんない》するからさ』

「うん」

『早《はや》く会《あ》いたいな。美織《みおり》は？』

「もちろん、私《わたし》も会《あ》いたい」

ひとしきり話《はな》したあと、通話《つうわ》をきる。

美織《みおり》は立《た》ちあがって窓辺《まどべ》に行《い》き、外《そと》をながめた。

梅雨《つゆ》のさなかなのにめずらしく夜空《よぞら》は晴《は》れていて、星《ほし》がよく見《み》える。

(沖縄《おきなわ》って…………遠《とお》いよね)

美織《みおり》と一彦《かずひこ》は、この七月七日《がつなのか》でつきあって一年《ねん》になる。

去年《きょねん》の七夕《たなばた》の日《ひ》、一彦《かずひこ》からお祭《まつ》りに誘《さそ》われ、そこで告白《こくはく》されたのだ。

美織《みおり》は、特《とく》に目立《めだ》つわけでもない、平凡《へいぼん》な女《おんな》の子《こ》。

それなのに、となりのクラスの、ほとんどしゃべったこともない一彦《かずひこ》に声《こえ》をかけられて、はじめはちょっとおどろいてしまった。

(一彦《かずひこ》くん、すごくモテそうなのに、私《わたし》でいいのかな)

不安《ふあん》だったが、せっかく誘《さそ》ってもらったのだからと、浴衣《ゆかた》を着《き》て髪《かみ》も結《ゆ》い、せいいっぱいおめかしをした。

待《ま》ちあわせ場所《ばしょ》の駅前広場《えきまえひろば》に行《い》くと、一彦《かずひこ》はもう来《き》ていた。美織《みおり》をみつけると、ぱっと明《あか》るい笑顔《えがお》になる。

『おー、浴衣《ゆかた》じゃん。かわいいね。似合《にあ》ってる』

『そ、そうかな。ありがとう』

美織《みおり》の顔《かお》が赤《あか》くそまる。男《おとこ》の子《こ》にそんなことを言《い》われるのははじめてだ。

『僕《ぼく》も浴衣《ゆかた》にすればよかったかな。そうしたらおそろいだったのにね』

笑《わら》った一彦《かずひこ》の口《くち》もとから八重歯《やえば》がのぞき、なんだかかわいいな、と美織《みおり》は思《おも》った。

『あそこで、短冊《たんざく》が書《か》けるよ。行《い》かない？』

『うん』

商店《しょうてん》のならぶ通《とお》りは歩行者天国《ほこうしゃてんごく》になり、たくさんの笹飾《ささかざ》りがならんでいる。

その一角《いっかく》に、短冊《たんざく》を書《か》くテントがもうけられていた。長《なが》テーブルには、色紙《いろがみ》を切《き》った短《たん》冊《ざく》とカラフルなペンがおいてある。

（なんて書《か》こうかな………）

一彦《かずひこ》がすぐそばにいると思《おも》うと、緊張《きんちょう》して願《ねが》いごとがなかなか思《おも》いつかない。

（これでいいか）

美織《みおり》はテーブルのはしっこのほうで、大急《おおいそ》ぎで「成績《せいせき》があがりますように」と書《か》くと、笹竹《ささだけ》に短冊《たんざく》をひっかけた。

一彦《かずひこ》を見《み》ると、背中《せなか》をまるめて熱心《ねっしん》にペンを動《うご》かしている。美織《みおり》は、うしろからそっとのぞいてみた。

七夕《たなばた》は　毎年《まいとし》いっしょにいられますように

几帳面《きちょうめん》な字《じ》で、そう書《か》いてある。

『できた』

と、一彦《かずひこ》は満足《まんぞく》げに言《い》い、うれしそうに短冊《たんざく》を笹竹《ささだけ》にかけた。

美織《みおり》は、あまり夢《ゆめ》のない願《ねが》いごとを書《か》いた自分《じぶん》が、はずかしくなってしまった。

『一彦《かずひこ》くんって、けっこうロマンチスト？』

『え？　あー、よく言《い》われるかも』

照《て》れ笑《わら》いをすると、美織《みおり》にむきなおる。

『てか、一彦《かずひこ》でいいよ。僕《ぼく》も美織《みおり》って呼《よ》ぶから』

『うん』

一彦《かずひこ》が美織《みおり》の手《て》をにぎった。

美織《みおり》の胸《むね》がドキドキする。心臓《しんぞう》がいまにも飛《と》びだしそうだ。

『だって僕《ぼく》たち、つきあってるんだし』

『うん……』

美織《みおり》が微笑《ほほえ》むと、一彦《かずひこ》も微笑《ほほえ》みかえす。それが一彦《かずひこ》からの告白《こくはく》だった。

(七夕《たなばた》の夜《よる》にできた、私《わたし》のはじめての彼氏《かれし》……)

その一彦《かずひこ》が、三か月半《げつはん》ぶりに東京《とうきょう》に戻《もど》ってくる。


「あんたたちって、織《お》り姫《ひめ》と彦星《ひこぼし》みたいだよね～」

「ねー、私《わたし》もそう思《おも》う」

登校《とうこう》した美織《みおり》が席《せき》に座《すわ》ると、千春《ちはる》と理名《りな》が話《はな》しかけてきた。

長《なが》い髪《かみ》を三《み》つ編《あ》みにしている千春《ちはる》と、ポニーテールが似合《にあ》う理名《りな》とは、二年生《ねんせい》のときから同《おな》じクラスで、ずっと仲《なか》がいい。

「え?」

すぐには意味《いみ》がわからず、美織《みおり》はきょとんとした。

「だって一彦《かずひこ》くん、沖縄《おきなわ》に引《ひ》っ越《こ》しして、ふたりは遠恋中《えんれんちゅう》だしさ」

「しかも七夕《たなばた》に帰《かえ》ってくるなんて、まさに彦星《ひこぼし》じゃん？」

「もー、なに言《い》ってんの………」

美織《みおり》が照《て》れ笑《わら》いすると、少《すこ》しはなれた場所《ばしょ》に立《た》っていた佐倉大毅《さくらだいき》と目《め》が合《あ》った。

大毅《だいき》は、クラスのガラの悪《わる》いグループといっしょにいる男子《だんし》だ。背《せ》が高《たか》く、目《め》つきも悪《わる》くて、威圧感《いあつかん》がある。

美織《みおり》はあわてて視線《しせん》をそらし、千春《ちはる》たちに顔《かお》をむけた。

「で、でも、織《お》り姫《ひめ》たちは年《ねん》に一回《いっかい》しか会《あ》えないけど、私《わたし》たちはもっと会《あ》ってます～」

「おー、ラブラブじゃん」

「いーなー。私《わたし》も彼氏《かれし》ほしいなー」

千春《ちはる》と理名《りな》が口《くち》をとがらせる。

「私《わたし》たちのことといじってないで、そろそろ席《せき》に戻《もど》らないと、チャイム鳴《な》るよ？」

「なんだよー。照《て》れてるの？」

「照《て》れてないってば」

「顔真《かおま》っ赤《か》だよ。美織《みおり》っていじりがいありすぎ」

あははと笑《わら》いながら、ふたりは自分《じぶん》の席《せき》に戻《もど》っていった。

(織《お》り姫《ひめ》と彦星《ひこぼし》、か)

美織《みおり》はぼんやりと窓《まど》の外《そと》をみつめる。

(もうすぐ帰《かえ》ってくる……)

七月七日《がつなのか》まで、あと八日《ようか》だ。


週《しゅう》があけた月曜日《げつようび》だった。

家《いえ》に帰《かえ》り、部屋《へや》着《ぎ》に着《き》がえた美織《みおり》は、浮《う》かない表情《ひょうじょう》でベッドに座《すわ》った。

手《て》ににぎっているのはスマートフォン。ラインアプリのアイコンには、未読数《みどくすう》の赤《あか》い数《すう》字《じ》が「145」と表示《ひょうじ》されている。

しばらくためらったあと、アイコンをタップする。

すると、昨日《きのう》の夜《よる》九時《じ》から十二時《じゅうにじ》までの間《あいだ》に、同《おな》じ人物《じんぶつ》から百四十五件《ひゃくよんじゅうごけん》のメッセージがとどいていた。

こわくて未読《みどく》にしておいたが、思《おも》いきってトーク画面《がめん》を開《ひら》くことにした。

いま、なにしてるの
どうして返信《へんしん》しないんだ
おい
ムシすんじゃねぇよ
どうなるかわかってるだろ

メッセージは延々《えんえん》とつづいており、だんだん言葉《ことば》づかいも乱暴《らんぼう》になっていく。
背筋《せすじ》がぞっとして、ほとんど読《よ》まずにトーク画面《がめん》を閉《と》じた。
「……………もう限界《げんかい》」
昨日《きのう》だけではなかった。大量《たいりょう》のメッセージが来《く》るのは、ほぼ毎日《まいにち》。
土日《どにち》や、祝日《しゅくじつ》、学校《がっこう》から帰《かえ》ってしばらくたった、夜《よる》から夜中《よなか》にかけてが特《とく》に多《おお》い。
（こんなことになるなんて）
はじめのころは、美織《みおり》もきちんと返事《へんじ》をしていた。「夕飯《ゆうはん》を食《た》べたばっかり」とか「宿《しゅく》題中《だいちゅう》です」とか。

けれど、あるとき、一時間《じかん》ほど返事《へんじ》が遅《おく》れてしまい、つぎにスマートフォンを見《み》ると、トーク画面《がめん》が百件《ひゃっけん》をこえるメッセージでうめつくされていたのだった。

ムシかよ
調子《ちょうし》にのってんじゃねぇぞ
返事《へんじ》して〜
おぼえてろよ

はじめてあの大量《たいりょう》のメッセージを読《よ》んだときの恐怖《きょうふ》が、よみがえった。

(千春《ちはる》たちにも相談《そうだん》できないし……………どうしたらいいの?)

美織《みおり》はスマートフォンをにぎりしめ、深《ふか》いため息《いき》をつく。

そのときだった。バタバタと階段《かいだん》をかけあがってくる音《おと》がして、母親《ははおや》がノックもせず美《み》織《おり》の部屋《へや》に飛《と》びこんできた。

「美織《みおり》！　い、いま電話《でんわ》があって………」

母親《ははおや》はハァハァと肩《かた》で息《いき》をする。

「どうしたの、お母《かあ》さん？」

「一彦《かずひこ》くんが………」

「え？」

「事故《じこ》で………亡《な》くなったって………」

（――うそでしょ？）

美織《みおり》はぼうぜんとして、持《も》っていたスマートフォンをぽろりとベッドに落《お》とした。

「一彦《かずひこ》が………？」


一彦《かずひこ》はその日《ひ》の早朝《そうちょう》、車《くるま》にはねられたそうだ。

スマートフォンを見《み》ながら自転車《じてんしゃ》をこいでいて、安全確認《あんぜんかくにん》をせずに交差点《こうさてん》に飛《と》びだしてしまったらしい。

美織《みおり》の学校《がっこう》でも、その話《はなし》はあっという間《ま》にひろまった。

「即死《そくし》だって」

「え、マジで？」

「ながら運転《うんてん》、こわいなぁ」

「来年《らいねん》、高校《こうこう》だっていうのに…………」

当然《とうぜん》、美織《みおり》のことも話題《わだい》になる。

「ていうかさ、小林《こばやし》さんって今野《こんの》くんとつきあってたんでしょ？」

「いまでもつきあってるんだって、遠距離《えんきょり》で」

「えー。それマジかわいそう…………」

「私《わたし》だったら、彼氏《かれし》が突然《とつぜん》死《し》んじゃったら耐《た》えられないかも」

そう言《い》って、同情《どうじょう》して泣《な》きだす女子《じょし》もいた。

千春《ちはる》と理名《りな》も、泣《な》きながら美織《みおり》をなぐさめてくれた。

「うちらになんでも言《い》ってね？」

「そうだよ。さびしかったらうちに来《き》てもいいし」

「ひとりでおちこんだりしちゃダメだからね」

「………うん、ありがと」
美織《みおり》は力《ちから》なくこたえた。

つぎの朝《あさ》、美織《みおり》はベッドから起《お》きあがれず、学校《がっこう》を休《やす》んでしまった。
そしてつぎの朝《あさ》も、美織《みおり》の体《からだ》は動《うご》かなかった。
「いいよ。好《す》きなだけ寝《ね》ていなさい」
「うん。そうする」
ベッドにつっぷして、チッ、チッ、という時計《とけい》の針《はり》の音《おと》を聞《き》きつづける。
(頭《あたま》がついていかない………)
今日《きょう》、沖縄《おきなわ》では、一彦《かずひこ》の葬儀《そうぎ》が行《おこな》われているそうだ。
東京《とうきょう》にいる美織《みおり》は、参列《さんれつ》してさよならすることができなかった。
(電話《でんわ》やラインはしていたけど、もう三か月以上《げついじょう》会《あ》わないままだったな)
そんなことを考《かんが》えているうちに時間《じかん》がたち、昼食《ちゅうしょく》もとらずに午後《ごご》になってしまった。
(一彦《かずひこ》が、もういない………)

「そっか。もういないんだよね」

思《おも》わずつぶやいた、そのときだった。

ベッドの上《うえ》においたスマートフォンのバイブ音《おん》が鳴《な》る。

（誰《だれ》？）

美織《みおり》は体《からだ》を起《お》こして座《すわ》り、スマートフォンを手《て》にとった。

美織《みおり》　元気《げんき》？

それはなんと、一彦《かずひこ》からのメッセージだった。

「……………えっ？」

（な、なにこれ）

美織《みおり》は画面《がめん》に目《め》を近《ちか》づけ、もう一度《いちど》よくたしかめてみた。

何度見《なんどみ》てもたしかに「今野一彦《こんのかずひこ》」と表示《ひょうじ》されている。着信時間《ちゃくしんじかん》も十三時十七分《じゅうさんじじゅうななふん》、いまだ。

過去《かこ》に来《き》ていたメッセージを勘《かん》ちがいして読《よ》んでいるというわけではない。

（誰《だれ》かのイタズラ？　なりすましってやつ？）

おそろしくなって、スマートフォンをベッドの上《うえ》に放《ほう》りなげた。

（こんなときに……なんなの？）

ところが。

ヴーッ、ヴーッ――。

今度《こんど》は電話《でんわ》の呼《よ》びだしバイブ音《おん》だ。画面《がめん》に表示《ひょうじ》されている名前《なまえ》は、やはり「今野《こんの》一彦《かずひこ》」。

美織《みおり》はこわばった表情《ひょうじょう》で、鳴《な》りつづけるスマートフォンをみつめた。

（えっ……どうしよう……でるべき？）

バイブ音《おん》は、美織《みおり》をせかすように鳴《な》っている。しばらく考《かんが》えたあと、震《ふる》える手《て》でスマートフォンをとり、小声《こごえ》で言《い》った。

「……はい」

聞《き》こえてきた声《こえ》に、美織《みおり》は一瞬《いっしゅん》、息《いき》がとまった。

『美織《みおり》？』

まちがえようがない。

いままで何度《なんど》も耳《みみ》にした、一彦《かずひこ》の声《こえ》だった。

『僕《ぼく》だよ、わかる？』

「か、一彦《かずひこ》……？」

声《こえ》がうわずる。

（なんで、死《し》んだはずの一彦《かずひこ》の声《こえ》が……）

『そうだよ。僕《ぼく》だよ。どうしたの』

「え……な、なんでもないよ……」

そうこたえるしかなかった。生《い》きてるの？　なんて聞《き》けない。一彦《かずひこ》は、いつもと変《か》わらない様子《ようす》でつづける。

『七日《なのか》に――きみに会《あ》いに行《い》くよ』

ブツッ、と唐突《とうとつ》に通話《つうわ》がきれる。

美織《みおり》はスマートフォンを耳《みみ》にあてたまま、動《うご》けずにいた。

「うそ……ありえない……」

しばらくたち、ようやく立《た》ちあがると、一気《いっき》に階段《かいだん》をかけおりた。

「お母《かあ》さん！　いま、一彦《かずひこ》から電話《でんわ》がっ！」

母親《ははおや》は一瞬《いっしゅん》おどろいたような顔《かお》をすると、すぐに悲《かな》しげな表情《ひょうじょう》になり、美織《みおり》を抱《だ》きしめる。

「つらいよね」

美織《みおり》の気《き》が動転《どうてん》し、ありもしない幻《まぼろし》を見《み》ているのだと、母親《ははおや》は思《おも》っているのだ。

「本当《ほんとう》だよ！　本当《ほんとう》に電話《でんわ》が——」

「おちついて。お母《かあ》さんが支《ささ》えになるから。ね？」

（ちがう。本当《ほんとう》に電話《でんわ》がきたのに）

しかも、彼《かれ》は言《い》った。会《あ》いに来《く》ると。

（一彦《かずひこ》が、七日《なのか》に会《あ》いに来《く》る……!?）

七月七日《がつなのか》は、二日後《ふつかご》だ。


つぎの日《ひ》はどうにか起《お》きだして、登校《とうこう》することができた。

校門《こうもん》を通《とお》りぬけたところで、制服《せいふく》のスカートのポケットからヴーッとバイブ音《おん》が聞《き》こえてくる。

とりだして見《み》てみると、一彦《かずひこ》からの着信履歴《ちゃくしんりれき》があった。

（まただ）

あのときから何時間《なんじかん》かおきに一彦《かずひこ》からの着信《ちゃくしん》がつづいていたが、美織《みおり》は電話《でんわ》にでなかった。

（電話《でんわ》がくるわけ、ないのに。だって一彦《かずひこ》は事故《じこ》で死《し》んだって………）

そう思《おも》うとこわくてでられなかった。

スマートフォンの画面《がめん》をみつめながら歩《ある》いていると、うしろから呼《よ》びかけられた。

「小林《こばやし》」

はっとして振《ふ》りかえる。

「あ………佐倉《さくら》くん」

仏頂面《ぶっちょうづら》をした大毅《だいき》が立《た》っていた。

「おはよ、小林《こばやし》」

「おはよう………」

大毅《だいき》も、二年生《ねんせい》のときから同《おな》じクラスだった。

あまり表情《ひょうじょう》がなく、みんなからは「イマイチなにを考《かんが》えてるかわからない人《ひと》」と言《い》われていた。たしかにそんなところがある。

「な、なに？」

「おまえ、大丈夫《だいじょうぶ》か？」

「えっ……………」

背《せ》の高《たか》い大毅《だいき》は、美織《みおり》を見《み》おろした。

「あのストーカー野郎《やろう》が亡《な》くなって、まだ数日《すうじつ》だろ」

大毅《だいき》は一彦《かずひこ》のことを、「ストーカー野郎《やろう》」と呼《よ》ぶ。

美織《みおり》は苦笑《にがわら》いをして、うなずいた。

「うん、大丈夫《だいじょうぶ》」

「ならいいんだけど」

「うん……………」

大毅《だいき》も安心《あんしん》したように笑《わら》う。笑《わら》うと意外《いがい》とやさしい顔《かお》つきになった。

「じゃあ、教室《きょうしつ》で」

「ありがと。心配《しんぱい》してくれて」

去《さ》っていく大毅《だいき》に手《て》を振《ふ》ったところで、またスマートフォンが鳴《な》った。

それを見《み》た美織《みおり》は、ぎくりとかたまった。

仲良《なかい》いね

一彦《かずひこ》から、メッセージとともに、写真《しゃしん》が送《おく》られてきたのだ。

美織《みおり》と大毅《だいき》が、みつめあって笑《わら》っている――いましがたふたりで会話《かいわ》していたときに撮《と》られた写真《しゃしん》だ。

（一彦《かずひこ》!?）

とっさにあたりを見《み》まわす。

しかし、そこにいるのは校舎《こうしゃ》にむかって歩《ある》いている生徒《せいと》ばかり。一彦《かずひこ》の姿《すがた》など、どこにもない。

（本当《ほんとう》に一彦《かずひこ》なの？）
誰《だれ》かが一彦《かずひこ》のアカウントや、一彦《かずひこ》のスマートフォンで、美織《みおり》にメッセージを送《おく》っているのかもしれない。
ただ、もしそうだとしても、その誰《だれ》かはこの近《ちか》くにいるはずだった。さっきの写真《しゃしん》を撮《と》れるくらい近《ちか》くに――。
美織《みおり》は、返信《へんしん》をしてみることにした。

どうでもいいこと　話《はな》してただけだよ

すると、すぐにメッセージがくる。

美織《みおり》は　僕《ぼく》のこと　いまでも好《す》き？

それを読《よ》んだ瞬間《しゅんかん》、美織《みおり》の心臓《しんぞう》がドクンとはねた。おそろしい顔《かお》つきをした一彦《かずひこ》が、こ

く 今野一彦
仲良いね
8:15

ちらに手《て》をのばす姿《すがた》が思《おも》いうかぶ。

美織《みおり》は、恐怖《きょうふ》に涙《なみだ》を浮《う》かべ、ぶつぶつつぶやきながら、メッセージを打《う》った。

「――っ好《す》きだよ……いまでも大好《だいす》きっ！　当《あ》たり前《まえ》でしょ!?」

そう打《う》つと、またすぐに返信《へんしん》がくる。

じゃあ　ずっといっしょにいてくれる？
明日《あした》の七夕《たなばた》に　むかえにいくよ
僕《ぼく》たちの記念日《きねんび》だろ

「え……？」

（ど、どういう意味《いみ》？　むかえにって……）

一彦《かずひこ》は四日前《よっかまえ》に死《し》んだはずだ。

まさか、美織《みおり》のことをどこかへつれていこうとしているのだろうか。

校舎《こうしゃ》の前《まえ》に立《た》ちすくみ、ガタガタ震《ふる》えていると、千春《ちはる》と理名《りな》の声《こえ》がした。

「美織《みおり》ーっ」

「学校《がっこう》、来《こ》られたの？　大丈夫《だいじょうぶ》〜？」

ふたりがかけ寄《よ》ってくる。

「無理《むり》しないほうがいいよ」

「そうだよ。プリントとか、家《いえ》に持《も》っていくし。てか、顔青《かおあお》くない？」

「そ、そう？」

美織《みおり》は作《つく》り笑《わら》いを浮《う》かべた。一瞬《いっしゅん》、ふたりに電話《でんわ》やメッセージのことを相談《そうだん》しようかと思《おも》いつく。

(でも、死《し》んだ人《ひと》から連絡《れんらく》がくるなんて言《い》っても、きっと信《しん》じてくれないよね…………)

それか、母親《ははおや》のように、美織《みおり》がショックのあまり幻《まぼろし》を見《み》ていると勘《かん》ちがいするだけだ。

(相談《そうだん》は、やめておこう…………)

彼氏《かれし》を亡《な》くした美織《みおり》を気《き》づかって、千春《ちはる》と理名《りな》はいつにもまして明《あか》るくふるまっていた。

「明日《あした》の七夕祭《たなばたまつ》りなんだけどさ――」

校舎《こうしゃ》に入《はい》り、ろうかを歩《ある》いていると、ふいに千春《ちはる》が言《い》う。

「もし美織《みおり》がよければ、いっしょに行《い》かない？」

理名《りな》も心配《しんぱい》そうに美織《みおり》をのぞきこむ。

「ふたりで考《かんが》えたんだけど、こういうときは、あんまりひとりっきりですごさないほうがいいんじゃないかなって」

美織《みおり》もひとりでいるのはこわかった。

「うん。行《い》こうかな」

そうこたえると、千春《ちはる》と理名《りな》はぱっと笑顔《えがお》になった。


七月七日《がつなのか》。

美織《みおり》は元気《げんき》な気持《きも》ちですごせるように、明《あか》るい色合《いろあ》いのオフショルダーワンピースを着《き》て、七夕祭《たなばたまつ》りにでかけた。

夕方《ゆうがた》、待《ま》ちあわせ場所《ばしょ》の駅前広場《えきまえひろば》に行《い》くと、先《さき》に来《き》ていた千春《ちはる》と理名《りな》が手《て》を振《ふ》っている。

「こっちこっちー」

「美織《みおり》、かわいいワンピ着《き》てるじゃん！」

「うん。前《まえ》に買《か》ったんだけど、あんまり着《き》て行《い》くところがなかったんだ」

お祭《まつ》りのメイン会場《かいじょう》になっている商店街《しょうてんがい》は、人《ひと》でいっぱいだ。

「おー。すごい人《ひと》〜」

「今日《きょう》はうちらといっしょにいよう！　ひとりでいるといろいろ考《かんが》えちゃうだろーし」

「うん……ありがと」

商店街《しょうてんがい》の入《い》り口《ぐち》には、去年《きょねん》、美織《みおり》と一彦《かずひこ》が短冊《たんざく》を書《か》いたテントが、今年《ことし》もでていた。

「夜《よる》の七時《じ》になると花火《はなび》があがるらしいよ〜」

「ひゃー！　楽《たの》しみ♡」

千春《ちはる》と理名《りな》はテントを通《とお》りすぎて、笹飾《ささかざ》りの立《た》ちならぶ通《とお》りを歩《ある》いていく。そのうしろ姿《すがた》をながめながら、美織《みおり》は思《おも》った。

（やっぱり誰《だれ》かに相談《そうだん》すべきなのかな…………）

もしこのまま本当《ほんとう》に一彦《かずひこ》がむかえに来《き》たら。

（私《わたし》、いったいどうなっちゃうんだろう？）

そのとき、美織《みおり》のスマートフォンが、ヴッ、と短《みじか》く鳴《な》った。ビクッと体《からだ》を震《ふる》わせる。

なつかしいね　ここで美織《みおり》に告白《こくはく》したの　覚《おぼ》えてる？
きみは顔《かお》を真《ま》っ赤《か》にして　よろこんでくれたよね

顔《かお》をあげた美織《みおり》は、きょろきょろと周囲《しゅうい》を見《み》まわした。ここはたしかに、ちょうど一年《ねん》前《まえ》、一彦《かずひこ》が「僕《ぼく》も美織《みおり》って呼《よ》ぶから」と言《い》った場所《ばしょ》だ。
（どうしよう。こわい…………）
つづけてまた、ヴッ、と手《て》に振動《しんどう》がとどく。

どうしてなにもこたえてくれないの

メッセージはつぎからつぎへと送《おく》られてくる。美織《みおり》は恐怖《きょうふ》に目《め》を見開《みひら》いた。

美織《みおり》が好《す》きなのは　僕《ぼく》だろう

僕《ぼく》たちは今夜《こんや》　会《あ》わなきゃいけない
これはもう　決《き》められたことなんだ
あの短冊《たんざく》の願《ねが》いを　神《かみ》さまが叶《かな》えてくれたんだ
運命《うんめい》なんだよ

（やめて――やめてやめてやめてっ！）

美織《みおり》は走《はし》りだした。

「美織《みおり》!?」

「どこ行《い》くの!?」

千春《ちはる》と理名《りな》の声《こえ》がしたが、美織《みおり》はそれを無視《むし》して、人《ひと》ごみのなかを走《はし》る。

好《す》きって言《い》ったの　うそか
ふざけるな
そんなの許《ゆる》さない

許《ゆる》さない

(もうやだ!　やめてよ!)

どのくらい走《はし》ったのだろう。お祭《まつ》りの雑踏《ざっとう》のなかで、美織《みおり》はつまずいて転《ころ》んだ。

近《ちか》くにいた人《ひと》たちが「大丈夫《だいじょうぶ》ですか?」「歩《ある》ける?」と声《こえ》をかけるが、恐怖《きょうふ》でいっぱいの美織《みおり》の耳《みみ》にはとどかない。

よつんばいの姿勢《しせい》のまま、立《た》ちあがれずにいた美織《みおり》は、ふと誰《だれ》かの気配《けはい》を感《かん》じ、ゆっくりと視線《しせん》をあげた。

人《ひと》ごみのなかに、奇妙《きみょう》な足《あし》が見《み》える。

片足《かたあし》はスニーカーを履《は》き、もう片足《かたあし》は裸足《はだし》。

ジーンズのすそはボロボロにやぶれていて、ところどころ赤黒《あかぐろ》い。

あらわになった足首《あしくび》には血《ち》がたれ、道路《どうろ》を赤《あか》くそめている――――。

（知《し》ってる、あのスニーカー……一彦《かずひこ》の……）

「小林《こばやし》っ！」

少《すこ》しはなれたところから、名前《なまえ》を呼《よ》ぶ声《こえ》が聞《き》こえた。大毅《だいき》の声《こえ》だ。彼《かれ》も七夕祭《たなばたまつ》りに来《き》ていたのだろう。美織《みおり》のほうにかけてくる。

「どうしたんだよ、おまえ……」

しかし美織《みおり》はパニック状態《じょうたい》のまま、道路《どうろ》にうずくまり、顔《かお》をあげることさえできなかった。

「やめて……許《ゆる》して……」

両手《りょうて》で頭《あたま》を抱《かか》えて、叫《さけ》ぶ。

「許《ゆる》して!!」


そうだ。

一彦《かずひこ》はそういう人《ひと》だった。

あの日《ひ》、送《おく》られてきた百四十五件《ひゃくよんじゅうごけん》のメッセージは、どれも一彦《かずひこ》からのものだ。

「いま、なにしてるの」「どうして返信《へんしん》しないんだ」「おい　ムシすんじゃねぇよ」「どうなるかわかってるだろ」――。

美織《みおり》の耳《みみ》に、一彦《かずひこ》の責《せ》める声《こえ》がよみがえる。

『一分遅刻《いっぷんちこく》、どうして遅《おく》れるの？　美織《みおり》は僕《ぼく》とのデートはどうでもいいの？』

待《ま》ちあわせに少《すこ》しでも遅《おく》れると、その日《ひ》はずっと機嫌《きげん》が悪《わる》かった。

『そんな服着《ふくき》るなよ。胸《むね》が目立《めだ》つ。そーゆー女《おんな》に見《み》られたいわけ!?』

胸《むな》もとがぴったりした服《ふく》を着《き》ると、かならずそう言《い》われた。今日着《きょうき》ているオフショルダーの服《ふく》も、肌《はだ》がですぎだと言《い》って、禁止《きんし》された。

『ラインもすぐに返《かえ》せよ！　できるだろ、僕《ぼく》の彼女《かのじょ》なら！』

返信《へんしん》が遅《おく》れると怒鳴《どな》られ、ときにはひどくなぐられた。しかも、腹《はら》や背中《せなか》など服《ふく》にかくれて見《み》えない部分《ぶぶん》をなぐる。

一彦《かずひこ》はふだん、とてもおだやかに振《ふ》るまっているし、誰《だれ》に対《たい》してもやさしい。暴力的《ぼうりょくてき》な顔《かお》を見《み》せるのは、美織《みおり》にだけだ。だから誰《だれ》かに相談《そうだん》しても、信《しん》じてもらえないかもしれない。美織《みおり》のほうが悪《わる》いと言《い》われてしまうかもしれない。

そう思《おも》い、口《くち》をつぐんでいた。

けれど、そんなとき。

『なにか困《こま》ってるなら、俺《おれ》にたよれば』

大毅《だいき》が声《こえ》をかけてくれた。

『……佐倉《さくら》くん。助《たす》けて』

ぶっきらぼうだと思《おも》っていた大毅《だいき》は、親身《しんみ》になって話《はなし》を聞《き》いてくれた。話《はな》してみると、とてもやさしい人《ひと》だった。

誰《だれ》もいない放課後《ほうかご》の教室《きょうしつ》に残《のこ》り、ふたりは話《はな》した。

『ストーカー野郎《やろう》とは別《わか》れろ』

『でも、別《わか》れたいって言《い》ったら、絶対《ぜったい》になぐられる。殺《ころ》されるかも』

『そんなことさせねえよ。とりあえずはなれろ』

わっと泣《な》きだした美織《みおり》を、大毅《だいき》はそっと抱《だ》きしめた。

そのままキスをして――――。

見《み》たよ

つぎの日《ひ》、メッセージといっしょに、ふたりが教室《きょうしつ》でキスをしている写真《しゃしん》が送《おく》られてきた。

一彦《かずひこ》がいつの間《ま》にかかくし撮《ど》りをし、送《おく》りつけてきたのだ。

あわてて一彦《かずひこ》のいるクラスへ行《い》くと、一彦《かずひこ》は人気《ひとけ》のない階段《かいだん》の踊《おど》り場《ば》に、美織《みおり》をつれていった。

「ち……ちがうの。あれはむこうから」

なぐられると思《おも》い、美織《みおり》は必死《ひっし》に言《い》い訳《わけ》をした。

ところが、一彦《かずひこ》はにこにこと笑《わら》う。

「もちろん美織《みおり》を信《しん》じるよ。だからずっといっしょにいてね」

その笑顔《えがお》が、逆《ぎゃく》におそろしかった。

なにを考《かんが》えているかわからない。

なにをされるかこわくて、いつも、いつも、機嫌《きげん》を損《そこ》ねないようにしてきた。

(だから、一彦《かずひこ》が引《ひ》っ越《こ》しして、死《し》んで、ほっとしてたのに………)

それなのに、七夕《たなばた》の日《ひ》の今日《きょう》。

美織《みおり》の前《まえ》に、雑踏《ざっとう》のなかに――――一彦《かずひこ》の足《あし》がある。

ぼろきれのようになったジーンズのすそから、だらだらと血《ち》が流《なが》れ、裸足《はだし》の足《あし》もとに血《ち》だまりができている。

「さぁ、行《い》こう。僕《ぼく》といっしょに」

一彦《かずひこ》の声《こえ》がそう言《い》い、美織《みおり》に一歩《いっぽ》、また一歩《いっぽ》と近《ちか》づいてきた。

(や……やだ……来《こ》ないで………)

血《ち》だらけの足《あし》が、目《め》の前《まえ》でぴたりととまった。

美織《みおり》は視線《しせん》をゆっくりとあげていく。

そこには、首《くび》が妙《みょう》な角度《かくど》に折《お》れた一彦《かずひこ》がいた。

頭《あたま》がわれた、血《ち》まみれの顔《かお》が、にっこりと笑《わら》っている。

「僕《ぼく》は美織《みおり》を信《しん》じるよ。だからずっといっしょにいてね」

空《そら》に花火《はなび》があがり、ドン、と大《おお》きな音《おと》がする。

その音《おと》で、美織《みおり》ははっと我《われ》にかえった。

まわりを歩《ある》く人《ひと》たちの「いまの花火《はなび》、大《おお》きかったね」「きれいだったね」といった声《こえ》が耳《みみ》にとどく。

美織《みおり》はまだ道路《どうろ》にうずくまったままだった。

けれど、片足《かたあし》だけスニーカーを履《は》いたあの足《あし》は、もう消《き》えている。

「――小林《こばやし》、大丈夫《だいじょうぶ》か？」

見《み》あげると、大毅《だいき》がかがみこんで、美織《みおり》をみつめていた。

大毅《だいき》に支《ささ》えられて、美織《みおり》はよろよろと立《た》ちあがる。

どうやらずいぶん長《なが》い時間《じかん》、そこでうずくまっていたようだった。千春《ちはる》と理名《りな》とはすっかりはぐれ、花火《はなび》ももう終《お》わっている。

商店街《しょうてんがい》のアナウンスが聞《き》こえてきた。

『本日《ほんじつ》は、七夕祭《たなばたまつ》りにご来場《らいじょう》いただき、誠《まこと》にありがとうございました。出口《でぐち》は大変混雑《たいへんこんざつ》しますので、お気《き》をつけてお帰《かえ》りくださいーー』

「小林《こばやし》、歩《ある》けるか？」

「うん、歩《ある》ける。ありがとう………」

そのとき、千春《ちはる》と理名《りな》がかけ寄《よ》ってきた。

「美織《みおり》だ！　みつけた！」

「よかった〜。さがしたよ〜」

「千春《ちはる》………理名《りな》………」

ほっとした美織《みおり》の目《め》から涙《なみだ》があふれた。

それ以来《いらい》、一彦《かずひこ》からのラインがくることはなくなった。

たしかに一彦《かずひこ》は、予告《よこく》どおり美織《みおり》の前《まえ》に現《あらわ》れた。

メッセージには「むかえにいく」とあったが、美織《みおり》がどこかにーーーたとえば死者《ししゃ》の国《くに》にーーーつれていかれることはなかった。

（私《わたし》は助《たす》かったんだ………）


それから一年《ねん》がすぎ――。

美織《みおり》は高校生《こうこうせい》になった。

徒歩《とほ》で通《かよ》っていた中学校《ちゅうがっこう》とはちがい、いまは電車《でんしゃ》にのって通学《つうがく》している。

『七月七日《がつなのか》、今日《きょう》のお天気《てんき》は晴《は》れ！　天《あま》の川《がわ》もよく見《み》えると思《おも》いま〜す。織《お》り姫《ひめ》と彦星《ひこぼし》も仲《なか》よくデートできることでしょう♡』

朝《あさ》、駅前《えきまえ》まで行《い》くと、商業《しょうぎょう》ビルの大型《おおがた》ビジョンに今日《きょう》の天気予報《てんきよほう》が映《うつ》しだされていた。

（七月七日《がつなのか》か………）

信号《しんごう》が赤《あか》になり、立《た》ちどまる。大通《おおどお》りのむこうを見《み》ると大毅《だいき》が待《ま》っていて、美織《みおり》に笑顔《えがお》で手《て》を振《ふ》っている。

ふたりはいま、同《おな》じ高校《こうこう》に通《かよ》っている。そして、恋人同士《こいびとどうし》でもあった。

「お・は・よ」

大毅《だいき》の口《くち》が、そう動《うご》いた。

青信号《あおしんごう》になると、美織《みおり》は横断歩道《おうだんほどう》をかけだした。

と、しばらく走《はし》ったところで、つまずいてドサッと転《ころ》ぶ。

「痛《い》てっ…………」

顔《かお》をゆがめて視線《しせん》をあげると、そこには、あの足《あし》があった。

片方《かたほう》だけスニーカーを履《は》いた、血《ち》まみれの足《あし》が――――。

美織《みおり》のカバンに入《はい》っているスマートフォンが、ヴッ、と鳴《な》った。

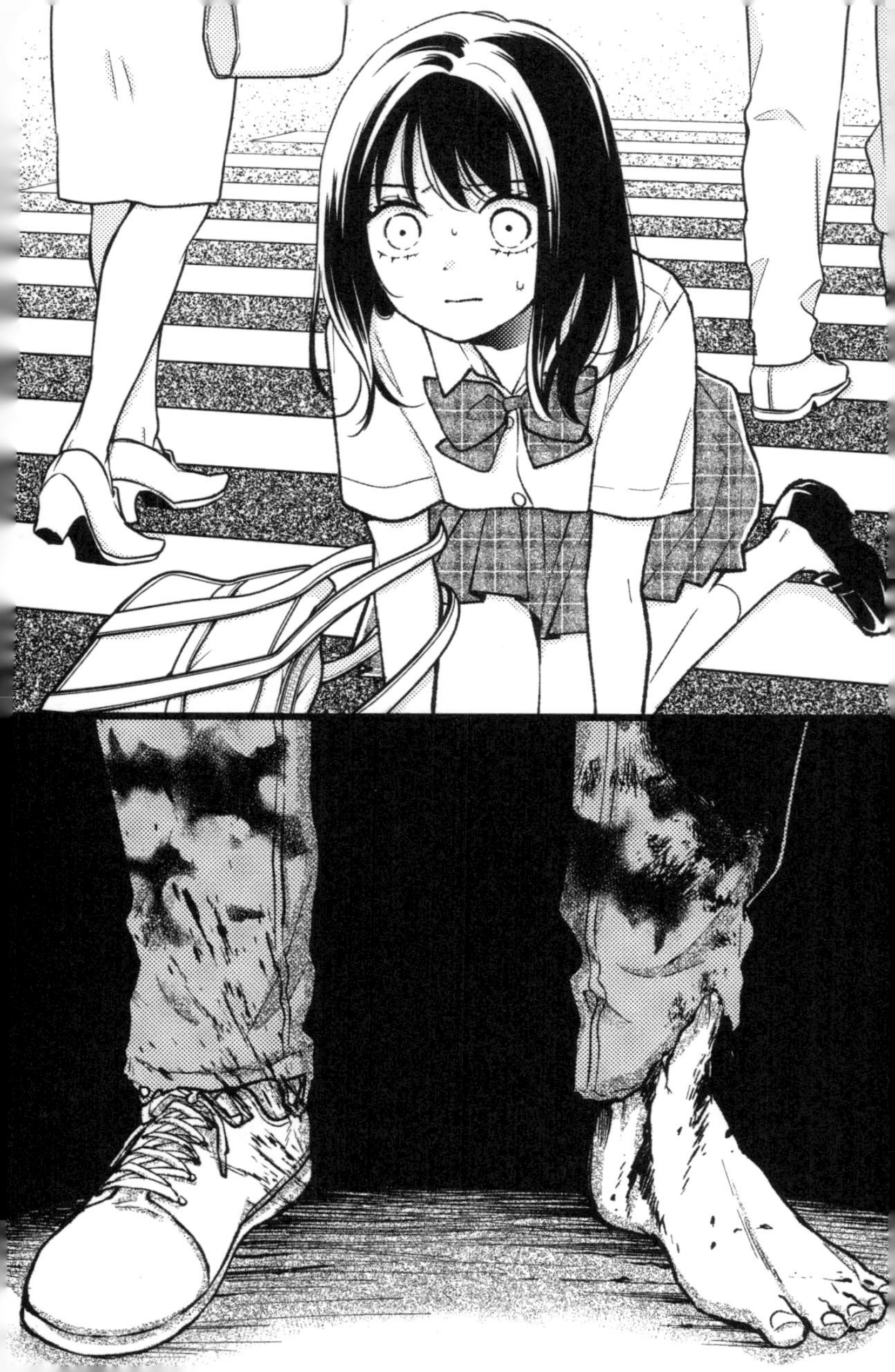

エピローグ

百二十三時間目《ひゃくにじゅうさんじかんめ》の授業《じゅぎょう》は、これでおしまいです。
初《はつ》デートの日《ひ》に、彼《かれ》が短冊《たんざく》に書《か》いた願《ねが》い。
それはとってもシンプルなものでした。
「七夕《たなばた》は　毎年《まいとし》いっしょにいられますように」。
その願《ねが》いは、ちゃんと叶《かな》えられたようですね。
彼女《かのじょ》が彼《かれ》のことをきらいになっても。
彼《かれ》が、事故《じこ》で死《し》んでしまっても。
彼《かれ》は、来年《らいねん》の七月七日《がつなのか》も、きっと会《あ》いに来《く》ることでしょう。
そのつぎの年《とし》も、そのつぎの年《とし》も。
いつか彼《かれ》は、彼女《かのじょ》をつれていってしまうかもしれません。

そう、黄泉《よみ》の国《くに》へ。
本当《ほんとう》の意味《いみ》で彼《かれ》の願《ねが》いが叶《かな》うのは、そのときなのでしょうね。
永遠《えいえん》の愛《あい》を誓《ちか》うカップルさん。
七夕《たなばた》にお願《ねが》いしてみてはいかが？
ただし、一生心変《いっしょうこころが》わりをしない自信《じしん》があれば、ですけどね。

124時《じ》間《かん》目《め》

DEATH《デス》 GAME《ゲーム》

プロローグ

こんにちは。
休《やす》み時間《じかん》は
もう終《お》わりましたよ。
それでは、百二十四時間目《ひゃくにじゅうよじかんめ》の
授業《じゅぎょう》をはじめます。
みなさんはいつも、どんなゲームで
遊《あそ》んでいますか？
パズルゲーム？
それともアクションゲーム？
カードゲームやボードゲームが好《す》きな人《ひと》もいるかもしれません。

では、こんなゲームはいかがでしょう。
椅子《いす》とりゲーム。
そんな幼稚《ようち》な遊《あそ》びは卒業《そつぎょう》した、ですって？
でも今回《こんかい》登場《とうじょう》する椅子《いす》とりゲームは、特別《とくべつ》です。
なにせ命《いのち》がけ。
負《ま》けたらあとがありません。
もし、ある日《ひ》突然《とつぜん》、こんなおそろしい遊《あそ》びに巻《ま》きこまれてしまったら。
みなさんならどうしますか？

「────う…………」

神崎恵麻《かんざきえま》が目《め》を覚《さ》ますと、そこは六年《ねん》二組《くみ》の教室《きょうしつ》だった。

床《ゆか》の上《うえ》に倒《たお》れている。いつの間《ま》にこんなところで眠《ねむ》ってしまったのだろうか。

「え…………？」

頭《あたま》がぼんやりする。頭《あたま》をぶつけたのかと思《おも》い、体《からだ》を起《お》こして、ショートボブの髪《かみ》にふれた。痛《いた》くはないし、血《ち》もでていない。ぶつけたというわけではなさそうだ。

「私《わたし》、なんでこんなところで…………」

腰《こし》や足《あし》もさわってみる。

恵麻《えま》はパーカとスキニーパンツを着《き》ていたが、ケガもしていなければ、服《ふく》も汚《よご》れていなかった。

見《み》まわすと、床《ゆか》にクラスメイトたちが横《よこ》たわっていた。

机《つくえ》は、掃除《そうじ》をするときのように全部《ぜんぶ》うしろにさげられ、教室《きょうしつ》の前半分《まえはんぶん》だけが空《あ》いている。

そこに、椅子《いす》だけがぐるりと円形《えんけい》においてあった。椅子《いす》は円《えん》の外側《そとがわ》をむいている。

(私《わたし》だけじゃなく、他《ほか》のみんなも………)

まだ倒《たお》れたまま眠《ねむ》っていたり、恵麻《えま》と同《おな》じように起《お》きあがって頭《あたま》を振《ふ》っていたり。

目《め》を覚《さ》ました子《こ》たちは一様《いちよう》にとまどっていた。

「うーん………どこ、ここ」

「なに？　なにが起《お》きた？」

「俺《おれ》、なんで寝《ね》てたんだろ」

そんなことを口々《くちぐち》につぶやいている。

恵麻《えま》が振《ふ》りかえってうしろを見《み》ると、見覚《みおぼ》えのあるジャージ姿《すがた》が横《よこ》たわっていた。

親友《しんゆう》の小波玲《こなみれい》だ。このオーバーサイズのおしゃれジャージは、先週《せんしゅう》、いっしょにアウトレットに行《い》って買《か》ったものだった。

玲《れい》は、長《なが》い髪《かみ》を床《ゆか》にひろげ、体《からだ》をちぢめて眠《ねむ》っている。

「玲《れい》、起《お》きてっ！」

恵麻《えま》が体《からだ》をゆさぶると、玲《れい》はゆっくりとまぶたを開《ひら》き、まぶしそうに見《み》あげた。

「んー………恵麻《えま》？」

ふらふらと体《からだ》を起《お》こす。

「ここどこ？」

「教室《きょうしつ》だよ！　六年《ねん》二組《くみ》の！」

「なんで？」

「わかんない。私《わたし》もいま起《お》きたとこ」

玲《れい》はまだ寝《ね》ぼけまなこだったが、恵麻《えま》は、この異様《いよう》な光景《こうけい》のせいで、すっかり目《め》が覚《さ》めてしまった。

立《た》ちあがり、きょろきょろと見《み》まわす。六年《ねん》二組《くみ》の人数《にんずう》は三十二人《さんじゅうににん》だ。数《かぞ》えてみると、ちょうど三十二人《さんじゅうににん》、全員《ぜんいん》がここにいた。

そのときだった。

「ぱんぱかぱーん」

突然《とつぜん》、場《ば》ちがいなほどの明《あか》るい声《こえ》が教室《きょうしつ》にひびきわたり、色《いろ》とりどりの紙吹雪《かみふぶき》が宙《ちゅう》を舞《ま》った。

「え…………？」

声《こえ》のした教卓《きょうたく》のほうを見《み》ると、どこから現《あらわ》れたのか、奇妙《きみょう》な人《ひと》がいる。

（――人《ひと》、っていうか、着《き》ぐるみ？）

そいつは頭《あたま》に、ピンク色《いろ》の大《おお》きなブタのかぶりものをしていた。

耳《みみ》はブタらしくぺたんと折《お》れている。その両耳《りょうみみ》の間《あいだ》に大《おお》きな水玉模様《みずたまもよう》のリボンをつけ、キラキラ光《ひか》る目《め》はプラスチック製《せい》。まるでテーマパークにいるキャラクターのようだ。

しかし、体《からだ》は人間《にんげん》そのもの。アイドルさながらの衣装《いしょう》を着《き》ていた。

チェックの短《みじか》いスカートに、胸《むな》もとにはチェックのリボン、鮮《あざ》やかな赤《あか》いベスト。

半袖《はんそで》のパフスリーブからは、細《ほそ》い腕《うで》がのびている。

謎《なぞ》のブタキャラは、左手《ひだりて》に持《も》ったマイクを口《くち》もとにむけ、陽気《ようき》にしゃべりだした。

「ようこそ六年二組《ねんくみ》のみんな☆　友情《ゆうじょう》、大好物《だいこうぶつ》♡　パクパク食《た》べるブタ子《こ》だよ♡」

恵麻《えま》と玲《れい》が顔《かお》を見《み》あわせる。

「ブタ子《こ》？」

「………って、誰《だれ》？」

そのころにはもう、クラスの全員《ぜんいん》が目《め》を覚《さ》まし、不安《ふあん》そうな顔《かお》をして立《た》ちあがっていた。

「うん♡　わけわかんない子《こ》もいるよね♡　でも時間《じかん》がないから、サクサクいっちゃうぞっ☆」

みんながとまどうなか、ブタ子《こ》だけは元気《げんき》いっぱいだ。

教卓《きょうたく》と黒板《こくばん》の間《あいだ》に立《た》ち、高々《たかだか》と右手《みぎて》をあげる。

「これからみんなに、殺《ころ》しあいゲームをしてもらいまぁーす☆」

教室《きょうしつ》のなかがしんと静《しず》まった。悲鳴《ひめい》さえあがらない。

数秒後《すうびょうご》、ひとりの男子《だんし》が噴《ふ》きだした。

「ぷっ………ネタ古《ふる》っ！　てか、おまえ誰《だれ》だよ」

他《ほか》のみんなも、ざわざわとしゃべりはじめる。

「こういうのって『デスゲーム』って言《い》うんだろ？　俺《おれ》、漫画《まんが》で読《よ》んだことある」

「私《わたし》も映画《えいが》で見《み》たよ。なにこれ？　なんかの番組《ばんぐみ》？」

「どっかにカメラあるんじゃね？」

「てか、教室《きょうしつ》にヤバいやつ入《はい》ってきてるよ〜。誰《だれ》か先生《せんせい》呼《よ》んで〜」

みんながどっと笑《わら》った。

すると、ブタ子《こ》がキンキンと耳《みみ》ざわりな声《こえ》で言《い》う。

「は〜い、みんな静《しず》かに〜☆　やってもらうのは、椅子《いす》とりゲームだよ♡」

ブタ子《こ》が優雅《ゆうが》に教室《きょうしつ》のなかを示《しめ》す。

そこはちょうど、椅子《いす》が円形《えんけい》にならべられている場所《ばしょ》だった。

「音楽《おんがく》がとまったとき、椅子《いす》に座《すわ》れなかった人《ひと》の負《ま》けでーす☆」

また教室内《きょうしつない》がしんと静《しず》まった。

今度《こんど》はみんな、あきれかえった。イタズラにしても、ここまでくるとさすがに度《ど》がすぎている。

「意味不明《いみふめい》………」

恵麻《えま》がつぶやくと、玲《れい》がうなずいた。

「ほんと、意味不明《いみふめい》」

「ブタ子《こ》の中身《なかみ》って、大人《おとな》だよね？」

「うん。私《わたし》もそう思《おも》う。あの体形《たいけい》からしてそうだよ」

「大人《おとな》がこんな悪《わる》ふざけして、なんなのかな」

すると、クラスで一番背《いちばんせ》の高《たか》い秋哉《あきや》が、チッと舌打《したう》ちをした。

「俺《おれ》、だんだん笑《わら》えなくなってきたわ。行《い》こうぜ、悟《さとる》」

いつもつるんでいる悟《さとる》が、「おう」と返事《へんじ》する。

秋哉《あきや》は短気《たんき》ですぐにキレる。すたすたと教室《きょうしつ》の前《まえ》の扉《とびら》にむかい、引《ひ》き手《て》に手《て》をかけた。

「………あれ？　開《あ》かねぇ」

「んなわけねーだろ」

と、悟《さとる》も扉《とびら》を開《あ》けようとする。

「マジかよ。開《あ》かねぇ」

はげしくガタガタと押《お》したりひいたりしたが、いっこうに扉《とびら》が開《あ》く気配《けはい》はなかった。

うしろの扉《とびら》まで走《はし》っていった男子《だんし》が叫《さけ》んだ。

「おい、こっちも開《あ》かねえぞ!?」

窓《まど》のあたりでは、クラス委員《いいん》の満里奈《まりな》と、保健委員《ほけんいいん》のさゆみが騒《さわ》ぎだした。

「ちょっと外《そと》、なんで真《ま》っ暗《くら》なの？」

ふたりの言《い》うとおり、カーテンのむこうは墨《すみ》を流《なが》したように真《ま》っ暗《くら》だった。

「え、いまって夜《よる》なの？」

「おかしいよ。こんな時間《じかん》になるまで、学校《がっこう》にいられるはずがないでしょ。絶対《ぜったい》、先生《せんせい》か校務員《こうむいん》さんに帰《かえ》されると思《おも》う」

「そうだよね。きっといまごろ、お父《とう》さんとお母《かあ》さん、心配《しんぱい》してる………」

教室《きょうしつ》のなかが騒然《そうぜん》とした。

あちこちで不安《ふあん》そうな声《こえ》があがる。

「夜《よる》だったらふつう、外《そと》に家《いえ》の明《あ》かりとか見《み》えるけど、ぜんぜん見《み》えなくね？」

「うちら、閉《と》じこめられたってこと？」

「ここ、本当《ほんとう》に学校《がっこう》なの？」

「やだやめてよ！」

ざわつく教室《きょうしつ》に水《みず》をかけるように、ブタ子《こ》の声《こえ》がひびきわたる。

「はーい！　それではー、音楽《おんがく》スタ〜ト☆」

ジャン！

シンバルをたたく音《おと》が、壁《かべ》の校内放送用《こうないほうそうよう》スピーカーから聞《き》こえ、軽快《けいかい》なマーチが流《なが》れはじめた。

まるで運動会《うんどうかい》の入場曲《にゅうじょうきょく》に使《つか》われるような音楽《おんがく》だ。

「え…………」

恵麻《えま》は、顔《かお》をひきつらせて玲《れい》をみつめた。

「玲《れい》、これってまさか、マジで椅子《いす》とりゲームするの？」

玲《れい》も苦笑《にがわら》いを浮《う》かべている。

「いや、そんなわけないでしょ」

秋哉《あきや》と悟《さとる》がブタ子《こ》にむかってどなった。

「おいおい、マジかよ！　いいかげん、ふざけんのやめろって！」

「とりあえずそのブタのマスクとれっつーの！」

顔《かお》にかぶりものをしているブタ子《こ》は、なにを言《い》われても表情《ひょうじょう》が変《か》わらない。ふたりを完《かん》全《ぜん》に無視《むし》し、マイクをにぎったまま、置物《おきもの》のようにじっと立《た》っている。

マーチが流《なが》れるなか、三十二人《さんじゅうににん》は全員《ぜんいん》、顔《かお》を見《み》あわせて笑《わら》ったり、小声《こごえ》で話《はな》したりしながら、その場《ば》で動《うご》かずにいた。

と、そのとき、スピーカーから流《なが》れていた音楽《おんがく》がぴたりととまった。

半信半疑《はんしんはんぎ》のみんなは、誰《だれ》も座《すわ》ろうとしない。

ところが。

ひとりの女子《じょし》が、そっと椅子《いす》に腰《こし》をかけた。手芸《しゅげい》クラブに所属《しょぞく》している杏子《あんず》だ。

「えっ？　杏子《あんず》、なに座《すわ》ってんの？」

杏子《あんず》のとなりにいた女子《じょし》が目《め》をまるくする。

しかし、みんなの顔色《かおいろ》は、さっきとはまるで変《か》わっていた。

「……………うちらも座《すわ》っとく？」

「そうしよっか。いちおうこれ、椅子《いす》とりゲームだもんね」

「私《わたし》も」

「お、俺《おれ》も」

おびえて、次々《つぎつぎ》と椅子《いす》に座《すわ》りはじめる。

恵麻《えま》もとたんに不安《ふあん》になった。

(まさか本当《ほんとう》に殺《ころ》しあいゲームをするとは思《おも》えないけど、でも………)

玲《れい》の腕《うで》をひっぱる。ふたりとも気《き》づかぬうちに額《ひたい》に汗《あせ》をかいていた。

「玲《れい》、座《すわ》るよ」

「うん」

恵麻《えま》と玲《れい》は、となりあった椅子《いす》に同時《どうじ》に座《すわ》った。

まだ立《た》っていた子《こ》たちも、先《さき》を急《いそ》ぐようにバタバタと着席《ちゃくせき》していく。

「え………」

ひとり残《のこ》ったのは、将棋《しょうぎ》クラブの部長《ぶちょう》、眼鏡《めがね》をかけた亮一《りょういち》。

椅子《いす》に座《すわ》った三十一人《さんじゅういちにん》が、いっせいに亮一《りょういち》をみつめる。

「え?　なん………だよ。みんな本気《ほんき》になっちゃって」

扉《とびら》の近《ちか》くに立《た》っていた亮一《りょういち》は、ごくりとつばをのみこんだ。眼鏡《めがね》のつるを指《ゆび》でくいっとあげ、ハハハとむりやり笑《わら》う。

「ばかみた――――」

グシャッ!!

言《い》いおわらないうちに、亮一《りょういち》の体《からだ》が床《ゆか》に押《お》しつぶされた。

一瞬《いっしゅん》の間《ま》をおいて、教室《きょうしつ》じゅうが絶叫《ぜっきょう》であふれかえる。

「キャアアアアアア!」

「ウワァアア――――――ッ!」

椅子《いす》から転《ころ》がり落《お》ちる子《こ》。教室《きょうしつ》のすみまでつまずきながら逃《に》げていく子《こ》。友《とも》だちと抱《だ》きあって泣《な》きわめく子《こ》。

教室《きょうしつ》のなかはパニック状態《じょうたい》になった。

亮一《りょういち》のすぐ近《ちか》くにいた恵麻《えま》と玲《れい》は、血《ち》しぶきをあびてぼうぜんとしていた。

あまりのショックに頭《あたま》が追《お》いつかない。

(いま……いま……つぶれた……人《ひと》がつぶれ……)

ようやく理解《りかい》した恵麻《えま》は、ガタッと椅子《いす》から立《た》ちあがり、天井《てんじょう》を見《み》た。なにかが落《お》ちてきた様子《ようす》はない。

それなのに、目《め》の前《まえ》で、クラスメイトが見《み》るも無残《むざん》につぶれたのだ。
まるで見《み》えない大岩《おおいわ》に押《お》しつぶされたように――――。
(いったい、どういう………)
すると、ブタ子《こ》が人《ひと》さし指《ゆび》をチッチッと振《ふ》りながら、おどけて言《い》う。
「ほらほら、音楽《おんがく》がとまってる間《あいだ》、座《すわ》ってない人《ひと》は負《ま》けだよぉ?」
恵麻《えま》は、くずおれるように椅子《いす》に座《すわ》った。
椅子《いす》からはなれていった子《こ》たちも、あわてて戻《もど》ってくる。
(なに!? なに!? なんで、うちらがこんなことに………)
恵麻《えま》はぎゅっと唇《くちびる》をかみしめ、目《め》が覚《さ》める前《まえ》のことを思《おも》いだそうとした。
(たしか、昼休《ひるやす》みだった。うちらみんな、教室《きょうしつ》や校庭《こうてい》で遊《あそ》んでたはず)
他《ほか》にはなにをしていただろう。
(えっと………給食食《きゅうしょくた》べて、玲《れい》と男子《だんし》の悪口大会《わるくちたいかい》やって、それから、それから………
思《おも》いだせない………)
頭《あたま》のなかにもやがかかったようで、どんなに考《かんが》えても思《おも》いだせなかった。

「ほら～♡　椅子《いす》に座《すわ》らない子《こ》はおしおきだよ～☆」

ブタ子《こ》が指《ゆび》さした場所《ばしょ》には、まだ数人《すうにん》、椅子《いす》に戻《もど》っていない子《こ》がいた。

教室《きょうしつ》のすみには、座《すわ》りこんで震《ふる》えている、ふたりの女子《じょし》。

脱出《だっしゅつ》しようと、椅子《いす》を持《も》ちあげ窓《まど》ガラスをわろうとしている男子《だんし》ふたり。

なにかを叫《さけ》びながら扉《とびら》をドンドンたたいている男女《だんじょ》三人《にん》。

グシャッ!!

七人《にん》が同時《どうじ》に押《お》しつぶされ、また叫《さけ》び声《ごえ》が教室《きょうしつ》をみたした。

「キャー――――ッ!」

「俺《おれ》もうイヤだよ………!!」

「お願《ねが》い!!　帰《かえ》らせて!!」

ブタ子《こ》がマイクごしにウフフと笑《わら》う。

「おしおきされたくない人《ひと》は、みんなゲームで遊《あそ》ぼうねっ!　八人消《にんき》えて、残《のこ》りは二十四《にじゅうよ》人《にん》。では、椅子《いす》を二十三《にじゅうさん》にしま～す☆　そこの子《こ》たち～、早《はや》く椅子《いす》をさげて♡」

指《ゆび》をさされた数人《すうにん》がビクッと体《からだ》を震《ふる》わせ、椅子《いす》を八脚《きゃく》、机《つくえ》の近《ちか》くまでひきずっていった。

命令《めいれい》どおりにしないと殺《ころ》されるかもしれず、誰《だれ》もさからえない。

「じゃあ、はじめるよっ。みんな立《た》って〜♡」

ジャン！

シンバルの音《おと》とともに、マーチが流《なが》れる。

二十四人《にじゅうよにん》は、あわてて立《た》ちあがり、椅子《いす》のまわりを歩《ある》きはじめた。

恵麻《えま》が立《た》ちすくんでいると、玲《れい》がその手《て》をぎゅっとにぎる。

「恵麻《えま》、絶対《ぜったい》に残《のこ》ろう」

「う……うん。音楽《おんがく》よく聞《き》いて、ふたりで絶対《ぜったい》に……」

ふたりはうなずきあい、耳《みみ》に全神経《ぜんしんけい》を集中《しゅうちゅう》させた。

みんなは緊張《きんちょう》の面持《おもも》ちで、ゆっくりと椅子《いす》のまわりを歩《ある》く。

椅子《いす》の近《ちか》くにいればすぐに座《すわ》れて有利《ゆうり》だ。だから誰《だれ》もがなるべく椅子《いす》からはなれないようにして歩《ある》いていた。

「おい、押《お》すなよ！」

「押《お》してないってば！」

そんな声《こえ》が飛《と》びかう。

ブタ子《こ》は、左手《ひだりて》にマイクを持《も》ち、右手《みぎて》をみんなに振《ふ》った。

「楽《たの》しんでる〜？」

（なに言《い》ってんの？　楽《たの》しんでるわけないじゃん！）

恵麻《えま》の頬《ほお》がひきつる。

前《まえ》を歩《ある》く玲《れい》がふりかえり、はげますように恵麻《えま》に笑《わら》いかけた。

スッと音楽《おんがく》がとまる。

恵麻《えま》と玲《れい》が椅子《いす》に飛《と》びつく。他《ほか》のみんなもいっせいに椅子《いす》にしがみついた。

すると、女子《じょし》ふたりの言《い》いあらそう声《こえ》が、恵麻《えま》の耳《みみ》に飛《と》びこんできた。

「先《さき》に私《わたし》が座《すわ》ったんだよ！」

「うるさい！　どいてよ！」

満里奈《まりな》とさゆみが、ひとつの椅子《いす》をとりあっている。

ふたりは幼《おさな》なじみで、家《いえ》もとなり同士《どうし》。たまにふたごコーデで学校《がっこう》に来《く》ることもあるくらいに仲良《なかよ》しだった。

それなのに、いまはふたりとも目《め》をつりあげ、相手《あいて》を椅子《いす》から押《お》しだそうとしている。

「あんたがどいてよ！」

「やだっ！　私《わたし》にゆずれ！」

すると、ブタ子《こ》が高《たか》らかに言《い》う。

「ざんね〜ん！　時間《じかん》ぎれで〜すっ☆」

そのとたん、なにかにあやつられるようにして、満里奈《まりな》とさゆみがふらふらと椅子《いす》からはなれ、がくんと床《ゆか》にひざをついた。

グシャッ!!

ふたりは一瞬《いっしゅん》にしてつぶれた。

ふたたび教室《きょうしつ》のなかに叫《さけ》び声《ごえ》があがる。

「ひとつの椅子《いす》にふたりが座《すわ》ったらアウト〜！　それがルールだよ〜☆」

ブタ子《こ》は不気味《ぶきみ》なくらい明《あか》るく言《い》った。

みんな、死体《したい》から顔《かお》をそむけ、暗《くら》い表情《ひょうじょう》を浮《う》かべる。

満里奈《まりな》とさゆみのように、いつまでも椅子《いす》をとりあっていると、「座《すわ》れなかった」とみなされ、つぶされてしまうらしい。

つぎは自分《じぶん》かもしれない――そう思《おも》うと、悲《かな》しいと感《かん》じるよゆうも消《き》えた。

「さあ、つぎは椅子《いす》を三《みっ》つ、どかしちゃおっか～♡」

ブタ子《こ》の指示《しじ》で、三脚《きゃく》の椅子《いす》がはずされた。

座《すわ》れない人数《にんずう》は、ふたり。つまり、ふたりがつぶされて死《し》ぬ。

「じゃあ、行《い》くよ～！」

ジャン！

休《やす》む間《ま》もなく、シンバルが鳴《な》り、マーチがはじまる。

（もうこの曲《きょく》、聞《き》きたくない………）

「はぁーい。みんなの友情《ゆうじょう》、もっと見《み》せて～♡」

ブタ子《こ》はリズムにのり、軽《かる》くステップをふみはじめた。

「ほら、まわってまわって～☆」

みんなが重《おも》い足《あし》どりで歩《ある》きだす。

「うっ………うっ………」

すすり泣《な》く声《こえ》。

「やだ、やりたくない、死《し》にたくない……………やだ…………」

ぶつぶつとつぶやきつづける声《こえ》。

「椅子《いす》の横《よこ》に立《た》ってんじゃねーよ！　早《はや》く歩《ある》け！」

「うるさいな！　前《まえ》がつまってて歩《ある》けねーんだよ！」

ののしりあう声《こえ》。

こんな状況《じょうきょう》になる前《まえ》の――――昼休《ひるやす》みの教室《きょうしつ》がうそのようだ。

六年《ねん》二組《くみ》は、特別《とくべつ》に団結《だんけつ》していたわけではないが、平和《へいわ》なクラスだった。

すごく目立《めだ》つ子《こ》もいなければ、仲間《なかま》はずれの子《こ》もいない。

地味《じみ》で平凡《へいぼん》なクラスだったのに。

(どうしてこんな目《め》にあうの？)

恵麻《えま》は口《くち》を真一文字《まいちもんじ》にひきむすび、ゆっくりと歩《ほ》をすすめる。

ふいに、前《まえ》を歩《ある》いていた玲《れい》が、ちらりと恵麻《えま》のほうを見《み》た。

その顔《かお》が、瞬時《しゅんじ》にこわばる。

「恵麻《えま》！」

そう叫《さけ》んだ玲《れい》は、立《た》ちどまって体《からだ》をうしろにむけると、思《おも》いっきり足《あし》を蹴《け》りあげた。

(蹴《け》られる…………!?)

恵麻《えま》がおどろいて身《み》がまえる。

つぎの瞬間《しゅんかん》、恵麻《えま》のうしろを歩《ある》いていた秋哉《あきや》が、ドサッと尻《しり》もちをついた。

玲《れい》の蹴《け》りは、恵麻《えま》をねらったのではなく、そのうしろにいた秋哉《あきや》にむかったものだった。

「おまっ…………なにすんだよ！」

秋哉《あきや》が倒《たお》れると、そのうしろにいた悟《さとる》もぶつかって倒《たお》れる。

「こいつ、恵麻《えま》をなぐろうとした！」

「マジで!?」

「うしろからなぐろうとしてたんだよ！」

恵麻《えま》が目《め》をまるくして見《み》おろす。

床《ゆか》に倒《たお》れた秋哉《あきや》と悟《さとる》は、くやしそうに口《くち》もとをゆがめている。

「……じょ、女子《じょし》なんて、どーせすぐに負《ま》けるんだからいいだろ！」

悟《さとる》も叫《さけ》ぶ。

「そうだ！　弱《よわ》いやつはさっさと抜《ぬ》けろよ‼」

「力《ちから》じゃ俺《おれ》たちにかなわねーじゃん。椅子《いす》のとりあいになったら、男子《だんし》が勝《か》つに決《き》まってんだよ！」

（たしかに力《ちから》は弱《よわ》いけど…………）

恵麻《えま》は怒《いか》りに目《め》を見開《みひら》いた。

（だからって、そんなことしていいと思《おも》ってんの…………⁉）

秋哉《あきや》たちが床《ゆか》に倒《たお》れたせいで、椅子《いす》のまわりを歩《ある》く流《なが》れがとまった。女子《じょし》たちはその場《ば》に立《た》ちどまり、男子《だんし》を非難《ひなん》しはじめる。

「なぐるとか、どういうつもり？」

「男子《だんし》最低《さいてい》！」

「人殺《ひとごろ》しじゃん！」

玲《れい》がぽつりと言《い》った。

「男子《だんし》なんて、人数少《にんずうすく》ないくせに…………」

玲《れい》の言《い》うとおりだった。

この学年《がくねん》は、男子《だんし》のほうが圧倒的《あっとうてき》に少《すく》ない。六年《ねん》二組《くみ》も、女子《じょし》は二十人《にじゅうにん》いるが、男子《だんし》は十二人《じゅうににん》しかいなかった。

玲《れい》が静《しず》かに吐《は》き捨《す》てた。

「弱者《じゃくしゃ》はそっちでしょ」

その言葉《ことば》に引《ひ》きずられるように、女子《じょし》たちが口々《くちぐち》にささやきだす。

「いらないよね」

「うん、いらない」

「男子《だんし》なんていらない――――」

そのとき、音楽《おんがく》がぷつりととまった。

みんなはいっせいに椅子《いす》にかけ寄《よ》ったが――――床《ゆか》に倒《たお》れていた秋哉《あきや》と悟《さとる》は間《ま》にあわなかった。

ふたりはガタガタ震《ふる》えながら、あたりを見《み》まわす。

「え、え、マジかよ………」

「冗談《じょうだん》じゃねーよ！　待《ま》ってくれ！」

グシャッ!!

立《た》ちあがる間《ま》も与《あた》えられず、ふたりはつぶされた。

ブタ子《こ》がマイクをにぎりなおし、きゅるんと首《くび》をかしげる。しかし頭《あたま》が大《おお》きいせいで、ひどく不格好《ぶかっこう》だった。

「女子《じょし》の友情《ゆうじょう》、最高《さいこう》だよね♡」

誰《だれ》もこたえない。

みんな、顔《かお》や体《からだ》を血《ち》しぶきでそめ、つかれきって椅子《いす》に座《すわ》っていた。

「さ〜て、何人《なんにん》になったかな〜？　ふむふむ☆」

わざとらしく額《ひたい》に手《て》をかざして、教室《きょうしつ》を見《み》まわす。数《かぞ》え終《お》わったブタ子《こ》は、右手《みぎて》を高々《たかだか》とあげた。

「女子《じょし》が十五人《じゅうごにん》、男子《だんし》が五人《にん》で〜す♡　がんばったね〜。じゃあつぎは、椅子《いす》五《いつ》つ！」

椅子《いす》が五脚《きゃく》、へらされた。

(五って、男子《だんし》と同《おな》じ数《かず》だ)

恵麻《えま》が思《おも》ったことを、他《ほか》の女子《じょし》も考《かんが》えたようだ。

ぶつぶつとひとりごとを言《い》ったり、友《とも》だちと目《め》くばせしたりしている。

（もしかしてみんな………）

すると、玲《れい》が恵麻《えま》の耳《みみ》もとでささやいた。

「男子《だんし》がいると、またなにされるかわかんない。先《さき》に消《け》しときたいよね」

恵麻《えま》がうなずく。

「たぶん女子《じょし》はみんなそう思《おも》ってるよ」

と、そのとき、ブタ子《こ》が歌《うた》うように言《い》った。

「それでは～、音楽《おんがく》スタ～ト！」

ジャン！

スピーカーからマーチが流《なが》れる。

十五人《じゅうごにん》の女子《じょし》は、押《お》しだまって椅子《いす》のまわりを歩《ある》いた。

五人《にん》の男子《だんし》は、まるで肉食獣《にくしょくじゅう》にねらわれた草食獣《そうしょくじゅう》のようにおびえている。

「みんな～、もりあがってる～？」

マイクを持《も》つブタ子《こ》だけが、教壇《きょうだん》の上《うえ》ではしゃいでいた。

「あれ～？　返事《へんじ》がないぞ？」

ブタ子《こ》は耳《みみ》に手《て》をあてて、もう一度《いちど》言《い》った。

「みんな～！　もりあがって、るぅぅぅ？☆☆☆」

なにかリアクションしないと、殺《ころ》されるかもしれない。

残《のこ》った二十人《にじゅうにん》は、おびえきった声《こえ》をあげた。

「…………い、いぇーい」

音楽《おんがく》がとまる。

つぎの瞬間《しゅんかん》、誰《だれ》かが言《い》った。

「男子《だんし》に座《すわ》らせるな!!　椅子《いす》を死守《ししゅ》しろ!!」

十五人《じゅうごにん》の女子《じょし》は、いっせいに五人《にん》の男子《だんし》におそいかかっていった。

「女子《じょし》は十五人《じゅうごにん》いるよ！　男子《だんし》ひとりにつき、三人《にん》で戦《たたか》える！」

そう言《い》ったのは、杏子《あんず》だ。

（たしかにそうだ！）

女子《じょし》は三人《にん》がかりでひとりの男子《だんし》に飛《と》びつき、なぐりたおす。

「や、やめろよ！」

「秋哉《あきや》たちとちがって、俺《おれ》はおまえらになにもしてないだろ！」

「痛《いた》いよ………ごめんなさいごめんなさい………」

あちこちで男子《だんし》たちの悲鳴《ひめい》があがったが、やがて、それも消《き》えた。

ぐったりとした男子《だんし》五人《にん》を尻目《しりめ》に、女子《じょし》十五人《じゅうごにん》はハァハァと呼吸《こきゅう》を荒《あら》らげながら、ゆっくりと椅子《いす》に腰《こし》かけた。

「やっぱり女子《じょし》の友情《ゆうじょう》ってサイコ〜だねっ♡　友情《ゆうじょう》の前《まえ》には、人《ひと》の命《いのち》なんか軽《かる》いよね〜？」

ブタ子《こ》がそう言《い》った瞬間《しゅんかん》。

グシャッ!!

床《ゆか》に倒《たお》れていた五人《にん》の男子《だんし》たちがつぶれた。

恵麻《えま》は椅子《いす》の背《せ》もたれに体《からだ》をあずけ、肩《かた》で息《いき》をする。

（誰《だれ》か、夢《ゆめ》だって言《い》ってよ………）

家《いえ》に帰《かえ》って両親《りょうしん》と食事《しょくじ》をして、温《あたた》かいお風呂《ふろ》に入《はい》りたかった。

いつもみたいに母親《ははおや》の使《つか》っている高《たか》い美肌《びはだ》ローションをちょっとだけわけてもらったりして、リビングで家族《かぞく》三人《にん》でおしゃべりして、それから、ふかふかの布団《ふとん》にもぐりこみたい――。

すぐそばの椅子《いす》に座《すわ》る玲《れい》が、恵麻《えま》の顔《かお》をのぞきこむ。

「大丈夫《だいじょうぶ》？　恵麻《えま》」

「う、うん………」

つかれきった恵麻《えま》を見《み》て、玲《れい》が力強《ちからづよ》く言《い》う。

「あんたは私《わたし》が守《まも》るからね」

恵麻《えま》は言葉《ことば》を失《うしな》った。

しばらく玲《れい》をじっとみつめたあとに、あわててかえす。

「………私《わたし》も玲《れい》を守《まも》るよ」

キーン、とマイクがハウリングを起《お》こし、みんながいっせいにブタ子《こ》に視線《しせん》をむけた。

「さ～て！　つぎはも――っと椅子《いす》がへるよ☆」

ブタ子《こ》の、表情《ひょうじょう》のないプラスチックの目《め》が、不気味《ぶきみ》に光《ひか》る。

「椅子十脚《いすじゅっきゃく》、どかしちゃいま～す！☆」

十五人《じゅうごにん》は息《いき》をのみ、おたがいの顔《かお》を見《み》た。

そのなかのひとりが叫《さけ》んだ。

「もうこんなゲームやだ！　おうちに帰《かえ》りたい！　ブタ子《こ》さん、私《わたし》、なんでもするから終《お》わりにしてください！　お願《ねが》い！」

わっと泣《な》きだし、椅子《いす》から少《すこ》し腰《こし》を浮《う》かしたその瞬間《しゅんかん》――彼女《かのじょ》は椅子《いす》ごとつぶれた。

「あれあれ～？　いまちょっとだけ立《た》ったでしょ？　ダメだよ～☆　ブタ子《こ》にはな～んでもお見通《みとお》しなんだからねっ♡」

（うそでしょ………）

恵麻《えま》は顔《かお》をゆがめる。またひとりへって、残《のこ》りは十四人《じゅうよにん》だ。

ブタ子《こ》の指示《しじ》で椅子《いす》が十脚《じゅっきゃく》まとめてはずされ、ゲームが再開《さいかい》した。

ジャン！

シンバルの音《おと》、軽快《けいかい》なマーチ。

しかし今回《こんかい》はそれが、ほんの数秒《すうびょう》でぴたりととまる。

意外《いがい》な早《はや》さに、十四人《じゅうよにん》はビクッと立《た》ちどまると、我先《われさき》にと椅子《いす》に飛《と》びついていった。

「私《わたし》が勝《か》ちのこるんだ！」

「勝《か》つのは私《わたし》だよ！」

そう叫《さけ》び、科学《かがく》クラブのふたりがなぐりあっている。

ふたりはカラスの知能《ちのう》をさぐる実験《じっけん》をいっしょに行《おこな》って、表彰《ひょうしょう》されたこともある。とても仲《なか》がよかったはずなのに。

窓《まど》の近《ちか》くでは、手芸《しゅげい》クラブの杏子《あんず》が、クラスで一番背《いちばんせ》の高《たか》い女子《じょし》に胸《むな》ぐらをつかまれていた。

「おまえ、おとなしいふりして、本当《ほんとう》はなんかたくらんでるんだろ！」

「なにもたくらんでないよ………やめてよぉ………」

あのふたりだって親友《しんゆう》だったはずだ。

(もういつものみんなじゃない。もう、みんな、別人《べつじん》なんだ)

恵麻《えま》は争《あらそ》う女子《じょし》たちの間《あいだ》をくぐりぬけ、どうにか椅子《いす》の背《せ》をつかむ。

がしかし、うしろから来《き》た放送委員《ほうそういいん》の咲子《さきこ》に髪《かみ》をつかまれ、椅子《いす》からひきはがされた。

「座《すわ》らせないよ！」

そのとき。

「恵麻《えま》！」

玲《れい》がかけ寄《よ》ってきて、咲子《さきこ》をつきとばす。咲子《さきこ》はドサッと床《ゆか》に転《ころ》がり、右肩《みぎかた》を手《て》で押《お》さえた。どうやら肩《かた》を脱臼《だっきゅう》したようだ。

恵麻《えま》と玲《れい》は、するどい目《め》つきであたりをねめつけながら、椅子《いす》に座《すわ》る。

「玲《れい》、ありがとう！」

「うん。絶対《ぜったい》に椅子《いす》からおりちゃダメだよ」

「わかった」

ふたりは背《せ》もたれにしがみつき、椅子《いす》を奪《うば》おうとつかみかかってくるクラスメイトを蹴《け》りとばす。

椅子《いす》は四脚《きゃく》だ。

座《すわ》れない人間《にんげん》のほうが多《おお》いこの戦《たたか》いは、めちゃくちゃなはげしさだった。

みんな鼻血《はなぢ》を流《なが》し、服《ふく》はやぶれ、髪《かみ》をごっそり抜《ぬ》かれている子《こ》もいる。

「は〜い♡　このへんで、おしまいだよ〜！」

それまでだまっていたブタ子《こ》が、そう言《い》うと。

グシャッ!!

その時点《じてん》で着席《ちゃくせき》できていなかった十人《じゅうにん》が、いっぺんにつぶされた。

一気《いっき》に人数《にんずう》がへり、教室《きょうしつ》のなかが静《しず》かになる。

「なんだかさびしくなっちゃったねっ！☆」

手《て》をブタの鼻先《はなさき》にあて、ウフフと笑《わら》うブタ子《こ》。

恵麻《えま》はくらくらとめまいがしてきた。

(ずっとこいつの言《い》いなりなの!?　どうにかできないの!?　このままじゃ…………!!)

死体《したい》だらけの光景《こうけい》を見《み》ているうちに、気《き》が遠《とお》くなってくる。

「…………恵麻《えま》!!」

玲《れい》に呼《よ》ばれ、恵麻《えま》はぼんやりと顔《かお》をむけた。

「しっかりして！　どうすれば家《いえ》に帰《かえ》れるか考《かんが》えないと！」

「家《いえ》………」

「そうだよ、ふたりで帰《かえ》るんだよ!!」

玲《れい》に肩《かた》をゆさぶられ、はっと我《われ》にかえる。

(そうだった。家《いえ》に帰《かえ》るんだ)

恵麻《えま》は涙《なみだ》をこらえてうなずいた。

「うんっ!」

「いいね〜、友情《ゆうじょう》!☆　ブタ子《こ》は友情《ゆうじょう》がだ〜い好《す》きっ♡」

残《のこ》った四人《よにん》が、すさみきった目《め》でブタ子《こ》をにらむ。

「それじゃ〜、つぎ行《い》くよ!　椅子《いす》がふたつになりま〜す☆」

二脚《にきゃく》の椅子《いす》がはずされ、残《のこ》りの二脚《にきゃく》が、背中《せなか》あわせになるようにおかれた。

残《のこ》っているのは、恵麻《えま》、玲《れい》、杏子《あんず》、咲子《さきこ》。

「音楽《おんがく》、スタ〜ト!☆」

ジャン!

今回《こんかい》のマーチはなかなか終《お》わらなかった。

一分《いっぷん》、二分《ふん》……。四人《よにん》はただ椅子《いす》だけをみつめて、いつでも飛《と》びつけるように神経《しんけい》をとぎすます。

もう七分《ふん》、いや十分《じゅっぷん》は歩《ある》きつづけただろうか。恵麻《えま》たちの足《あし》もとは、緊張《きんちょう》と疲労《ひろう》でふらついてきた。

と、そのとき、音楽《おんがく》がとまった。

ガタガタッと床《ゆか》を蹴《け》り、四人《よにん》がいっせいに椅子《いす》にかけ寄《よ》る。

「どいてよっ！」

恵麻《えま》と咲子《さきこ》は、同《おな》じ椅子《いす》に半分《はんぶん》ずつ座《すわ》り、体《からだ》で押《お》しあった。

「さっきあんたたちにつきとばされて、私《わたし》、肩《かた》を脱臼《だっきゅう》したんだよ？　つぐなえよ！」

「いやだ、絶対《ぜったい》に……」

ふたりはおたがいの髪《かみ》をつかみ、押《お》しだそうとする。

もうひとつの椅子《いす》は、玲《れい》と杏子《あんず》がとりあっていた。

杏子《あんず》が、玲《れい》の腕《うで》にがぶっとかみつく。

「痛《いた》っ！」

「私《わたし》がいなかったらみんな死《し》んでたよ!?　このゲームで最初《さいしょ》に座《すわ》ったのは私《わたし》だし、男子《だんし》を三人《にん》ずつでやっつけようって言《い》ったのも私《わたし》だよね!?」

玲《れい》は足払《あしばら》いをし、杏子《あんず》を床《ゆか》に倒《たお》した。そのすきに深《ふか》く椅子《いす》に座《すわ》り、背《せ》もたれをかかえこむ。

恵麻《えま》は、脱臼《だっきゅう》した咲子《さきこ》の右肩《みぎかた》を容赦《ようしゃ》なくねらった。そこを集中《しゅうちゅう》してなぐり、ひるんだところを蹴《け》りとばす。

「ハア…………ハア…………」

椅子《いす》を守《まも》りきった恵麻《えま》と玲《れい》は、荒《あら》い呼吸《こきゅう》をくりかえしながら、床《ゆか》に倒《たお》れた杏子《あんず》と咲子《さきこ》を見《み》おろす。

額《ひたい》や鼻《はな》から血《ち》を流《なが》し、顔《かお》を腫《は》らした杏子《あんず》と咲子《さきこ》が、髪《かみ》を振《ふ》りみだして泣《な》き叫《さけ》んだ。

「負《ま》けちゃった…………負《ま》けちゃったよ…………」

「やだ!　死《し》にたくない!」

グシャッ!!

杏子《あんず》と咲子《さきこ》がつぶれた。

「ハア…………ハア…………」

教室《きょうしつ》のなかはしんと静《しず》まり、恵麻《えま》と玲《れい》の呼吸《こきゅう》だけが聞《き》こえている。

ふたりはおたがいの顔《かお》を見《み》るのがこわくて、椅子《いす》に座《すわ》ってうなだれた。

「おふたり〜。ちょっと立《た》ってね☆」

ブタ子《こ》がマイクごしにそう言《い》う。

（もしかして、これで終《お》わり…………!?）

期待《きたい》に目《め》を輝《かがや》かせ、ふたりは立《た》ちあがった。

すると、ブタ子《こ》が教壇《きょうだん》からおりてきて、椅子《いす》をひとつ持《も》ちあげる。そのまま教室《きょうしつ》のすみに持《も》っていき、また教壇《きょうだん》に戻《もど》った。

「は〜い！　最後《さいご》の椅子《いす》だよ♡」

ひとつの椅子《いす》をはさんでむかいあうふたりは、途方《とほう》に暮《く》れた。

絶望的《ぜつぼうてき》な気持《きも》ちだ。

恵麻《えま》はうつむいて目《め》を閉《と》じた。ドクンドクンと心臓《しんぞう》がはねる。

（本当《ほんとう》に――――本当《ほんとう》に、ひとりしか残《のこ》れないの？）

「おんがくぅぅ、スタ〜〜〜トッ!!♡」

ジャン!

シンバルの音《おと》につづき、いまいましいマーチが流《なが》れだす。

おそるおそる目《め》を開《あ》けた恵麻《えま》は、顔《かお》をあげて言《い》った。

「おぼえてる? 昼休《ひるやす》みに話《はな》したこと」

玲《れい》が小《ちい》さな返事《へんじ》をする。

「う、うん………」


この奇妙《きみょう》なゲームに巻《ま》きこまれる直前《ちょくぜん》、六年《ねん》二組《くみ》のみんなは昼休《ひるやす》みをすごしていた。

いつもと変《か》わらない、ありきたりの昼休《ひるやす》みだ。

恵麻《えま》と玲《れい》は中庭《なかにわ》のすみに腰《こし》をおろし、おしゃべりをしていた。そこはあまり人《ひと》の来《こ》ないかくれスポットで、ふたりのお気《き》に入《い》りの場所《ばしょ》だった。

『うちらのクラスの男子《だんし》って、クズすぎない?』

玲《れい》はそう言《い》って、顔《かお》をゆがめた。彼女《かのじょ》は低学年《ていがくねん》のころ、男子《だんし》にいじめられた経験《けいけん》があり、それ以来《いらい》ずっと男子《だんし》が苦手《にがて》なのだった。
『授業中《じゅぎょうちゅう》、騒《さわ》ぎすぎだよね』
『わかるー』
と、恵麻《えま》がこたえる。
(そういえば、いま着《き》てるジャージも、最初《さいしょ》、男子《だんし》にバカにされてキレてたっけ)
おしゃれジャージを知《し》らないなんてダサい、ムカつくと、玲《れい》は怒《おこ》っていた。
(玲《れい》の男《おとこ》ぎらい、はげしいよなあ………)
『同《おな》じ班《はん》とか、ほんといやなんだけど』
玲《れい》はひとしきりしゃべると、はぁっとため息《いき》をつき、恵麻《えま》をみつめた。
『クラスに恵麻《えま》だけいればいいのに』
『私《わたし》も玲《れい》だけでいいや』
『ほんと、彼氏《かれし》なんていらないよね』
恵麻《えま》はわずかに視線《しせん》をそらしてこたえた。
『………そうだね』

『てか、なんかお腹痛《なかいた》ーい』

『マジ？　保健室《ほけんしつ》行く？』

『いや、そこまでじゃないし。ストレスかな？』

アハハハハ――――。

楽《たの》しくて、いつまででもしゃべっていたかった。

そのあと、こんなひどい目《め》にあうなんて、あのときは想像《そうぞう》もしていなかった……。


恵麻《えま》は、玲《れい》をみつめて、穏《おだ》やかに微笑《ほほえ》んだ。

「座《すわ》っていいよ」

「えっ……」

玲《れい》が目《め》をまるくする。

「言《い》ったでしょ。私《わたし》も玲《れい》を守《まも》るって」

恵麻《えま》がにっこり笑《わら》うと、玲《れい》は首《くび》を横《よこ》に振《ふ》る。

「……恵麻《えま》はそう言《い》うと思《おも》った。でもダメだよ」

「ダメって？」

「恵麻《えま》をおいてくなんて、絶対《ぜったい》にしない！」

玲《れい》が叫《さけ》んだ。

恵麻《えま》は目《め》をそらして、うつむく。

（――――て、言《い》うと思《おも》った）

目《め》の前《まえ》の椅子《いす》をみつめながら、恵麻《えま》は心《こころ》のなかで歯《は》がみした。

（座《すわ》ってくれれば、決心《けっしん》がにぶらなかったのに）

いっそのこと、恵麻《えま》の言《い》うとおりに座《すわ》ってくれれば、ためらいなく裏切《うらぎ》ることができた。

罪悪感《ざいあくかん》を抱《いだ》かなくてすんだのだ。

玲《れい》が座《すわ》らないと言《い》うから、決心《けっしん》が一瞬《いっしゅん》にぶってしまった。

けれど――――。

「ごめん……私《わたし》、死《し》にたくない…………」

恵麻《えま》は低《ひく》くそう言《い》うと、玲《れい》の体《からだ》をつきとばし、最後《さいご》の椅子《いす》に座《すわ》った。

涙《なみだ》をため、玲《れい》を見《み》おろす。

winner

「ごめん。言《い》わなかったけど、他校《たこう》に彼氏《かれし》ができたの」

床《ゆか》に尻《しり》もちをついた玲《れい》は、おどろいて目《め》を見開《みひら》いた。

「彼氏《かれし》のところに帰《かえ》りたい…………」

別《べつ》にうそをついたわけではなかった。

ただ恵麻《えま》は、玲《れい》ほどには、ふたりだけでいいとは思《おも》わなかっただけだ。

玲《れい》があまりにもまっすぐだったから、言《い》いだせなかっただけ。

うつむいた恵麻《えま》が、ぽろぽろと涙《なみだ》を流《なが》す。

「帰《かえ》りたいの…………」

すると、玲《れい》も涙《なみだ》を浮《う》かべ、晴《は》れやかに笑《わら》いかけた。

「知《し》ってたよ。いつ言《い》ってくれるんだろって、待《ま》ってた…………」

今度《こんど》は恵麻《えま》がおどろき、はっと顔《かお》をあげた。親友《しんゆう》の瞳《ひとみ》をみつめる。

「おめでとう、恵麻《えま》」

スピーカーから流《なが》れていた音楽《おんがく》がとまる。

手《て》をぎゅっとにぎりしめてもだえていたブタ子《こ》が、パーッと両手《りょうて》を高《たか》くあげた。

「んんん――――友情《ゆうじょう》さいっこぉぉ！☆☆☆」

マイクを投《な》げとばし、キンキン声《ごえ》で叫《さけ》ぶ。

「ぱんぱかぱーん！　おめでと〜〜〜！　勝者《しょうしゃ》が決定《けってい》しました〜〜♡♡♡」

色《いろ》とりどりの紙吹雪《かみふぶき》とリボンが舞《ま》いとぶ。

恵麻《えま》と玲《れい》は、顔《かお》をひきつらせた。ゲームが終《お》わっても、不快感《ふかいかん》しかない。

「勝者《しょうしゃ》は特別《とくべつ》に、ステキな場所《ばしょ》へご招待《しょうたい》☆」

興奮《こうふん》したブタ子《こ》は、かぶりものの口《くち》からだらだらとよだれをたらす。

「そして残念《ざんねん》☆　敗者《はいしゃ》のキミはさようなら〜っ」

椅子《いす》に座《すわ》った恵麻《えま》は、涙《なみだ》を流《なが》しながら笑《わら》った。勝《か》ちだ。私《わたし》の勝《か》ち。

「はは……あははは………」

グシャッ!!

玲《れい》のつぶれる音《おと》が聞《き》こえた。

ゆっくりとまぶたを開《ひら》く。

そこは、とても明《あか》るい場所《ばしょ》だった。

「先生《せんせい》！　生徒《せいと》さんが目《め》を開《あ》けました！」

女《おんな》の人《ひと》の声《こえ》が聞《き》こえ、バタバタとたくさんの人《ひと》が走《はし》りまわる音《おと》がする。

いろいろな声《こえ》が飛《と》びかい、あたりは騒然《そうぜん》としている。

ここ、どこだろう？

消毒液《しょうどくえき》のにおいがする。点滴《てんてき》バッグが見《み》える。どうやら病院《びょういん》のようだ。

白衣《はくい》を着《き》た男性《だんせい》が、のぞきこんできた。彼《かれ》は医師《いし》なのだろう。

「気分《きぶん》はどうだい？　名前《なまえ》は……………小波玲《こなみれい》さんだね」

玲《れい》は小《ちい》さくうなずいた。口《くち》には酸素《さんそ》マスクがつけられ、腕《うで》に点滴《てんてき》の針《はり》が刺《さ》さっていた。

「みんな本当《ほんとう》にあぶなかったんだよ。給食《きゅうしょく》で食中毒《しょくちゅうどく》を起《お》こしたんだ」

白衣《はくい》の医師《いし》がそう言《い》った。

………食中毒《しょくちゅうどく》？

玲《れい》はあたりを見《み》まわした。

ここは救急処置室《きゅうきゅうしょちしつ》らしい。

よく見《み》ると、検査着《けんさぎ》のようなものを着《き》たクラスメイトが、家族《かぞく》につきそわれながらそこにいる。みんな、玲《れい》よりも症状《しょうじょう》が軽《かる》かったのだろう。杏子《あんず》や亮一《りょういち》が、秋哉《あきや》が、満里奈《まりな》が

——生《い》きて歩《ある》いていた。


「…………なんで？　みんな…………生《い》きてるの!?」

そのとき、ピーッと電子音《でんしおん》が鳴《な》りひびき、看護師《かんごし》が叫《さけ》ぶ。

「先生《せんせい》！　心停止《しんていし》しました！」

さっきの医師《いし》がとなりのベッドにかけていき、仕切《しき》りのカーテンをシャッと閉《し》めた。

「がんばれ!!」

医師《いし》の声《こえ》が聞《き》こえてくる。

カーテンのむこうの様子《ようす》はわからないが、さえぎられる前《まえ》に、玲《れい》は見《み》たのだった。

そのベッドに横《よこ》たわっていたのは、恵麻《えま》。


——勝者《しょうしゃ》は特別《とくべつ》に、ステキな場所《ばしょ》へご招待《しょうたい》☆

ブタ子《こ》の言葉《ことば》を思《おも》いだし、玲《れい》は涙《なみだ》を流《なが》しながら、笑《わら》った。

「…………ふ…………ふふっ…………あははは」

そのとき、となりのベッドにいた恵麻《えま》は、だんだんとうすれていく意識《いしき》のなかで満足《まんぞく》そうに笑《わら》った。

「ありがとう、玲《れい》…………」

恵麻《えま》は人生最後《じんせいさいご》の夢《ゆめ》を見《み》ていた。

その夢《ゆめ》のなかで、恵麻《えま》は、最後《さいご》に残《のこ》ったあの椅子《いす》に座《すわ》っていた。

たったひとりのゲームの勝者《しょうしゃ》。

もうここには、他《ほか》に誰《だれ》もいない。

「ありがとう!!」

そう叫《さけ》ぶと、突然《とつぜん》、あたりが真《ま》っ暗《くら》になった。

エピローグ

百二十四時間目《ひゃくにじゅうよじかんめ》の授業《じゅぎょう》を終了《しゅうりょう》します。
友《とも》だちを押《お》しのけ、だまし、裏切《うらぎ》って。
勝《か》ちのこった少女《しょうじょ》が手《て》にしたものはなんと。
あの世《よ》への特等席《とくとうせき》でした。
逆《ぎゃく》に、ゲームのなかで死《し》んだ人《ひと》たちは、現実《げんじつ》を生《い》きのこりました。
ひとつ問題《もんだい》なのは、みんながゲーム内《ない》での出来事《できごと》をおぼえていること。
あのなぐりあいも、ののしりあいも、全部《ぜんぶ》おぼえています。
ゲームをする前《まえ》の六年二組《ねんくみ》は、平和《へいわ》なクラスだったそうです。
でも、もう元《もと》の関係《かんけい》に戻《もど》ることはないでしょう。
みんなの友情《ゆうじょう》は、あのブタ子《こ》さんにパクパク食《た》べられてしまいましたから。

六年《ねん》二組《くみ》の友情《ゆうじょう》って、どんな味《あじ》がしたのでしょうね。
きっと、とてもおいしかったのではないでしょうか……………。
みなさんも気《き》をつけてくださいね。
居眠《いねむ》りから覚《さ》めたら、そこはゲームのなかかもしれません。

125
時間目《じかんめ》

海《うみ》からの来《らい》訪《ほう》者《しゃ》

プロローグ

こんにちは。
教科書《きょうかしょ》の準備《じゅんび》はできましたか。
それでは、百二十五時間目《ひゃくにじゅうごじかんめ》の授業《じゅぎょう》をはじめましょう。
立入禁止《たちいりきんし》。
みなさんも、この四文字《もじ》をいろいろな場所《ばしょ》で見《み》かけたことがあるはず。
たとえば、病院《びょういん》には関係者《かんけいしゃ》しか入《はい》れないエリアがあります。
危険《きけん》な工事現場《こうじげんば》。

芝生《しばふ》を植《う》えたての広場《ひろば》。

コンクリートを流《なが》したばかりのガレージの床《ゆか》。

それから、海《うみ》。

入《はい》ってはいけないと言《い》われると、ついつい入《はい》りたくなる………。

そういう人《ひと》もいるかもしれません。

今回《こんかい》は、入《はい》ってはいけない場所《ばしょ》に入《はい》り、やってはいけないことをやってしまった人《ひと》のお話《はなし》です。

いったいどんな結末《けつまつ》が待《ま》ちうけているのでしょう？

立入禁止《たちいりきんし》の場所《ばしょ》に入《はい》ってみたくなるという人《ひと》こそ、読《よ》んでくださいね。

体操着姿《たいそうぎすがた》の金井岬《かないみさき》は、高台《たかだい》から見《み》える大海原《おおうなばら》に目《め》をキラキラ輝《かがや》かせた。

「わー！　すごいっ！」

肩《かた》までのばした岬《みさき》の髪《かみ》が、さらさらと潮風《しおかぜ》になびく。

ビーチサンダルを履《は》くのは今《こん》シーズン初《はつ》だったが、砂《すな》が足《あし》にあたって気持《きも》ちいい。

岬《みさき》たちの中学校《ちゅうがっこう》では、二年生《ねんせい》の初夏《しょか》に自然教室《しぜんきょうしつ》がある。

一泊二日《いっぱくふつか》で、行《い》き先《さき》は県内《けんない》の海岸《かいがん》だ。

「きれーい！」

「広《ひろ》ーい！」

親友《しんゆう》のチカと真澄《ますみ》も、気持《きも》ちよさそうに大《おお》きなのびをした。

運動《うんどう》の得意《とくい》なチカがはしゃぐ。

「早《はや》く泳《およ》ぎたいね！」

「うん！」

岬《みさき》がこたえると、まじめな真澄《ますみ》がふたりを叱《しか》った。

「もー。私《わたし》たち、遊《あそ》びに来《き》たんじゃなくて海《うみ》の掃除《そうじ》に来《き》たんだよ？」

自然教室《しぜんきょうしつ》の目的《もくてき》は、海岸付近《かいがんふきん》の清掃活動《せいそうかつどう》。生徒《せいと》たちは、ゴミをはさむ大《おお》きなトングで、ゴミを拾《ひろ》ってポリ袋《ぶくろ》に入《い》れていく。

海水浴場《かいすいよくじょう》で遊《あそ》ぶのは、そのあとのお楽《たの》しみだった。

「あはは。そうだった！」

三人《にん》は笑《わら》う。

「さーて、ゴミ拾《ひろ》いしますか〜」

清掃《せいそう》する場所《ばしょ》は、崖《がけ》の近《ちか》くの高台《たかだい》と、そこから下《した》におりていったところにある海岸《かいがん》で、岬《みさき》たち二組《くみ》の持《も》ち場《ば》は高台《たかだい》だった。

岬《みさき》たちが歩《ある》きだすと、三組《くみ》の三浦碧《みうらあおい》の声《こえ》がした。

「ふーん。岬《みさき》、泳《およ》げんの？」

「碧《あおい》くん！」

岬《みさき》はおどろいて振《ふ》りかえる。どうやら碧《あおい》は、うしろでいまの話《はなし》を聞《き》いていたようだ。

碧《あおい》と岬《みさき》はつきあっている。二年生《ねんせい》にあがったときに碧《あおい》に告白《こくはく》された。いまや学年《がくねん》の誰《だれ》もが知《し》っている、仲良《なかよ》しカップルだった。

「岬《みさき》って、泳《およ》ぐの苦手《にがて》そうじゃん？」

「泳《およ》げるもん。クロール得意《とくい》だもん」

「マジで？」

「マジだよっ」

すると、少《すこ》しはなれたところでキャハハと笑《わら》い声《ごえ》があがった。

ふたりがそちらを見《み》ると、岬《みさき》のクラスメイトの山本流那子《やまもとるなこ》が、仲間《なかま》といっしょに笑《わら》っている。

「泳《およ》げるもんっ、だってー」

「彼氏《かれし》の前《まえ》だからって、かわいこぶってるよー」

「ウケる～」

岬《みさき》の悪口《わるくち》を言《い》っているのだった。

（山本《やまもと》さん………）

悪口《わるくち》を言《い》われたり、いやがらせをされたりするのは、これがはじめてではない。二年生《ねんせい》になってから、流那子《るなこ》はなにかと岬《みさき》につっかかってくるのだ。

流那子《るなこ》たちは、ふざけあいながら、海岸《かいがん》のほうへおりていく。

岬《みさき》は困惑《こんわく》して、そのうしろ姿《すがた》をみつめた。

碧《あおい》が明《あか》るく言《い》う。

「めんどくさいな、あいつら。気《き》にすんなよ」

「うん。ぜんぜん気《き》にしてない」

「ならいいんだけど。もっとひどいことされるようになったら、俺《おれ》に言《い》えよ？」

「ありがと」

そのとき、海岸《かいがん》のほうから、三組《くみ》に集合《しゅうごう》をかける声《こえ》が聞《き》こえてきた。

「三組《くみ》、呼《よ》ばれてるよ？」

「やべ。じゃ、俺行《おれい》くわ」

「ゴミ掃除《そうじ》、がんばろうね！」

「おう」

碧《あおい》は手《て》を振《ふ》って、三組《くみ》の持《も》ち場《ば》に走《はし》っていく。

岬《みさき》はふうっとため息《いき》をつき、先《さき》に掃除《そうじ》をはじめていたチカと真澄《ますみ》のそばにかけ寄《よ》った。

「ごめんね、サボっちゃって」

そう言《い》うと、真澄《ますみ》が波打《なみう》ち際《ぎわ》を指《ゆび》さした。

見《み》おろせば、流那子《るなこ》たちが、波《なみ》と追《お》いかけっこをしながら遊《あそ》んでいる。

「サボるってのは、ああいうのを言《い》うんだよ。山本《やまもと》さんたち、ずっと遊《あそ》んでる」

「みんな遊《あそ》びたいけど、我慢《がまん》してるのにねー」

チカがあきれ声《ごえ》をあげた。

「そういえばさっき、山本《やまもと》さん、また岬《みさき》のこと言《い》ってたでしょ？」

「う、うん………」

岬《みさき》はペットボトルのゴミを拾《ひろ》いながら、苦笑《にがわら》いした。

「でも、気《き》にしてないから」

それは半分本当《はんぶんほんとう》で、半分《はんぶん》うそだった。

碧《あおい》やチカたちがいつでも味方《みかた》をしてくれるから、おちこむほど気《き》に病《や》んではいないが、目《め》のかたきにされるのはやっぱり傷《きず》つく。

「岬《みさき》が碧《あおい》くんとつきあってるから、嫉妬《しっと》してるんだよ」

チカにそう言《い》われ、岬《みさき》はきょとんとした。

ただ単《たん》に、流那子《るなこ》は岬《みさき》のことがきらいなのかと思《おも》っていたのだ。

「え、そうなの？」

三人《にん》はおしゃべりしながら、次々《つぎつぎ》とゴミを拾《ひろ》って歩《ある》いていく。

「そうだよ」

「嫉妬《しっと》って……なんで？」

「なんでって、山本《やまもと》さんは一年《ねん》のときから、碧《あおい》くんのことが好《す》きってウワサ――」

カラン、と乾《かわ》いた音《おと》がして、チカが突然立《とつぜんた》ちどまる。

「ん？」

草《くさ》むらに張《は》られていたロープにぶつかったのだ。

音《おと》をたてたのは、ロープにかけられた「立入禁止《たちいりきんし》」のプラスチックプレートだった。ロープが渡《わた》された場所《ばしょ》のずっと先に、崖《がけ》の先端《せんたん》が見《み》えた。そのむこうは青《あお》い海《うみ》と空《そら》だ。

「やばい。立入禁止《たちいりきんし》だって」

「ここ、けっこう高《たか》いもんね」

そのとき、ふいに声《こえ》がした。

「おじょうさんたち、そこに入《はい》っちゃダメだよ」

三人《にん》が振《ふ》りかえると、見知《みし》らぬ男《おとこ》が立《た》っている。

五十歳《ごじゅっさい》くらいだろうか。T《ティー》シャツとジーンズ姿《すがた》に麦《むぎ》わら帽子《ぼうし》をかぶり、首《くび》にタオルをかけている。

手《て》には、岬《みさき》たちと同《おな》じように、トングとポリ袋《ぶくろ》を持《も》っていた。

(ボランティアの人《ひと》?)

岬《みさき》はそう思《おも》った。このあたりを掃除《そうじ》している、近隣《きんりん》の住民《じゅうみん》かもしれない。

男《おとこ》は、よっこらしょと道具《どうぐ》を地面《じめん》におくと、ロープのむこうを指《ゆび》さした。

「むこうに崖《がけ》がつづいてるだろ」

三人《にん》はそちらを見《み》やる。

「昔《むかし》、あそこから身《み》を投《な》げた女《おんな》がいてね。靴《くつ》を残《のこ》して海《うみ》へドバーンって……。もう大《おお》騒《さわ》ぎになってさ」

「はは……マジすか？」

チカが顔《かお》をひきつらせた。

すぐそこの崖《がけ》から自殺者《じさつしゃ》がでたと思《おも》うと、背筋《せすじ》がぞっとする。

麦《むぎ》わら帽子《ぼうし》の男《おとこ》がニヤリと笑《わら》い、声《こえ》をひそめた。

「こわいのはここからさ」

「いまの話《はなし》で十分《じゅうぶん》にこわいんですけど……」

真澄《ますみ》がぶるっと体《からだ》を震《ふる》わせる。

おびえる三人《にん》にはかまわず、麦《むぎ》わら帽子《ぼうし》の男《おとこ》は話《はな》しつづけた。

「翌年《よくねん》の命日《めいにち》に、地元《じもと》の若者《わかもの》がおもしろがって、そこに自分《じぶん》の靴《くつ》をおいて遊《あそ》んでたんだ」

地元《じもと》の若者《わかもの》たちは、その日《ひ》、自殺《じさつ》した女《おんな》の真似《まね》をして靴《くつ》をおき、死者《ししゃ》をあざわらったのだった。

「そしたら、最初《さいしょ》に靴《くつ》をおいたやつが行方不明《ゆくえふめい》になった…………。そのあと、ウワサがでてきちゃってね、女《おんな》の命日《めいにち》に最初《さいしょ》に靴《くつ》をおいた者《もの》は、つれていかれる」

それ以来《いらい》、ここにはロープが張《は》られ、「立入禁止《たちいりきんし》」のプレートがかけられるようになったそうだ。

「じつは、その命日《めいにち》ってのが――」

男《おとこ》が眉間《みけん》にしわを寄《よ》せ、身《み》をのりだす。

あたりにあやしげな雰囲気《ふんいき》がただよい、岬《みさき》とチカ、真澄《ますみ》は、ごくりとつばをのんだ。

「――今日《きょう》さ」

「キャーーッ!!」

三人《にん》は思《おも》わず抱《だ》きあって叫《さけ》ぶ。

すると、男《おとこ》が噴《ふ》きだした。

「………ぷっ。あはははは! うそだよ。つれていかれるワケないだろ」

「えっ!?」

こわばっていた三人《にん》の表情《ひょうじょう》がゆるんだ。

「うそなの!? もーっ!」

「心臓《しんぞう》バクバクした〜」

「からかうなんて、ひどいっすよーっ!!」

岬《みさき》たちは、ほっと胸《むね》をなでおろす。

さっきまでのあやしげな雰囲気《ふんいき》はすっかり消《き》え、元《もと》の明《あか》るさが戻《もど》った。

そのとき、三人《にん》から少《すこ》しはなれたところに、ひとりの女子《じょし》が立《た》っていた。

掃除《そうじ》もせずに遊《あそ》んでいた流那子《るなこ》だった。

彼女《かのじょ》はこっそり持《も》ってきたお菓子《かし》を食《た》べようと、荷物《にもつ》おき場《ば》のある高台《たかだい》まで戻《もど》ってきていたのだ。

「………ふーん。靴《くつ》か」

男《おとこ》の話《はなし》を聞《き》いた流那子《るなこ》は、そうつぶやいて、荷物《にもつ》おき場《ば》を見《み》やった。

そこにはみんなのバッグや、履《は》きかえた靴《くつ》がおいてある。

「へぇ………?」

流那子《るなこ》は意地悪《いじわる》く笑《わら》った。

もちろん岬《みさき》は、流那子《るなこ》が悪《わる》だくみをしようとしていることには、まったく気《き》づいていなかった――――。


お昼休《ひるやす》みになり、生徒《せいと》はみんな高台《たかだい》に戻《もど》ってきた。

ゴミの回収所《かいしゅうじょ》には先生《せんせい》がいて、みんなの持《も》ってきたポリ袋《ぶくろ》をチェックしている。

「ゴミは分別《ぶんべつ》してねー。終《お》わった人《ひと》から、宿泊所《しゅくはくじょ》に戻《もど》ってくださーい」

岬《みさき》たちは集《あつ》めたゴミをだして、自分《じぶん》の荷物《にもつ》をおいた場所《ばしょ》にむかった。

「午後《ごご》は海洋生物《かいようせいぶつ》センターの見学《けんがく》だね」

生物《せいぶつ》好《ず》きの真澄《ますみ》はとてもうれしそうだ。

「つぎは屋内《おくない》かー。よかったー。こんな暑《あつ》いなか、ゴミ拾《ひろ》いなんてやってらんないし」

汗《あせ》だくのチカが、手《て》のひらで顔《かお》をあおぐ。

「あはは。そうだね」

と、岬《みさき》は自分《じぶん》の靴《くつ》をおいたはずの場所《ばしょ》を見《み》て、首《くび》をかしげた。

「…………あれ？」

「岬《みさき》、どしたの？」

チカが振《ふ》りかえった。

「靴《くつ》がない…………」

「白地《しろじ》に青《あお》のラインが入《はい》ったスニーカーだったよね？」

「そう。ここにおいたんだけど」

「岬《みさき》ったら、ぼんやりしてるんだから。ちゃんとさがした？」

真澄《ますみ》が、岬《みさき》の荷物《にもつ》があるあたりを、きょろきょろと見《み》まわした。

「うん…………」

チカと真澄《ますみ》も、荷物《にもつ》おき場《ば》をあちこちさがしまわり、白《しろ》いスニーカーを見《み》かけなかったかと、いろいろな人《ひと》にたずねた。

しかし、岬《みさき》の靴《くつ》はどこにもない。

「もしかして、誰《だれ》かがまちがえて履《は》いてっちゃったのかな」

岬《みさき》がそうつぶやいたときだった。

「ね……ねえ、あれっ！」

チカが立入禁止《たちいりきんし》ロープのむこうを指《ゆび》さす。

岬《みさき》と真澄《ますみ》が振《ふ》りかえると、そこには、白地《しろじ》に青《あお》いラインの入《はい》ったスニーカーが、無造作《むぞうさ》においてあった。

まちがいない、岬《みさき》の靴《くつ》だ。

「え……なんで!?」

なぜあんなところに。

誰《だれ》かがわざとおいたとしか思《おも》えなかった。

ふと横《よこ》を見《み》ると、遠《とお》くで流那子《るなこ》たちがくすくす笑《わら》っている。

(あの子《こ》たちがやったの？)

岬《みさき》はぼうぜんとした。まさかそこまできらわれているとは思《おも》っていなかったのだ。

流那子《るなこ》たちは、岬《みさき》の視線《しせん》に気《き》づくと、ふん、と顔《かお》をそむけた。

「あー、いい気味《きみ》。行《い》こ」

「うん。行《い》こっ！」

立入禁

そう言《い》って、ぞろぞろと宿泊所《しゅくはくじょ》のほうへ歩《ある》いていく。

さすがの岬《みさき》も、ショックで肩《かた》を落《お》とした。意地悪《いじわる》をされたことも傷《きず》つくし、あの男《おとこ》が言《い》った「つれていかれる」という話《はなし》もおそろしい。

「私《わたし》、先生《せんせい》に言《い》ってくる！」

激怒《げきど》して先生《せんせい》のところにむかおうとするチカを、岬《みさき》はひきとめた。

「ちょっと待《ま》って。山本《やまもと》さんたちがやった証拠《しょうこ》はないし…………」

「でも、絶対《ぜったい》あいつらが犯人《はんにん》だよ？」

真澄《ますみ》もぷんぷん怒《おこ》っている。

そこに碧《あおい》がやってきた。

「なに？　どした？」

「いやさー。岬《みさき》の靴《くつ》が…………」

チカが事情《じじょう》を説明《せつめい》すると、碧《あおい》は「ふーん」と言《い》い、ロープにむかっていく。

「ちょ……碧《あおい》くん！」

「入《はい》ったら怒《おこ》られちゃうよ！」

とめる三人《にん》を尻目《しりめ》に、碧《あおい》はこともなげにロープをのりこえ、靴《くつ》を持《も》って戻《もど》ってきた。

「ほら」

碧《あおい》がスニーカーを地面《じめん》において、にっこり笑《わら》う。

「あ、ありがとう………」

岬《みさき》は目《め》をまるくし、チカと真澄《ますみ》はパチパチと拍手《はくしゅ》をした。

「おおお！　碧《あおい》くん、カッコイイ！」

「さすが、おそれを知《し》らぬ男《おとこ》！」

「あはは。もっと俺《おれ》をほめろ」

もりあがる三人《にん》の横《よこ》で、岬《みさき》だけは作《つく》り笑顔《えがお》で立《た》ちすくんでいた。

(本当《ほんとう》に大丈夫《だいじょうぶ》かな。あの話《はなし》………)

最初《さいしょ》に靴《くつ》をおいた若者《わかもの》が行方不明《ゆくえふめい》になったということも、今日《きょう》が命日《めいにち》だということも、すべて作《つく》り話《ばなし》かもしれない。

麦《むぎ》わら帽子《ぼうし》の男《おとこ》は「うそだよ」とはっきり言《い》ったのだ。

それでもやっぱり、心《こころ》のどこかにひっかかっていた。

（私《わたし》、つれていかれたりしないよね？）


その夜《よる》。

宿泊所《しゅくはくじょ》の食堂《しょくどう》で、岬《みさき》はまた流那子《るなこ》たちのいやがらせを受《う》けた。

夕食《ゆうしょく》のメニューはカレー。セルフサービスで、料理《りょうり》や炊飯器《すいはんき》のおいてあるカウンターから、自分《じぶん》で食事《しょくじ》をもってくるスタイルだった。

岬《みさき》がカウンターの前《まえ》にならんでいると、通《とお》りかかった流那子《るなこ》たちが、わざとらしく言《い》った。

「あー、まだいる。いつ幽霊《ゆうれい》につれていかれるんだろ」

「もうすぐ来《く》るんじゃね？　幽霊《ゆうれい》さん」

「ははは！」

岬《みさき》はうつむいた。

（やだな。こんなこと、いつまでつづくんだろう………）

いっしょにならんでいたチカと真澄《ますみ》が、まゆをつりあげる。

「マジで山本《やまもと》サイテー」

「あんなだから、みんなにきらわれるんだよ。ねぇ？」

岬《みさき》は、うつろな笑《え》みを、チカたちにむけた。

怒《いか》りよりも恐怖《きょうふ》のほうが大《おお》きくて、チカたちのように腹《はら》をたてることができない。

するとそこへ、空《から》になった器《うつわ》を持《も》った碧《あおい》が、近《ちか》づいてきた。

「あいつら、まだなんか言《い》ってんの？」

「あ、碧《あおい》くん。早《はや》いね、もう食《た》べたの？」

「うん。腹《はら》へっちゃって、ダッシュで来《き》たから」

碧《あおい》は屈託《くったく》なく笑《わら》い、流那子《るなこ》たちのほうをちらりと見《み》ると、言《い》った。

「気《き》にしないほうがいいよ」

「わかってるんだけど……でもなんだか気《き》になっちゃって」

「その麦《むぎ》わら帽子《ぼうし》のおじさんも、うそだって言《い》ってたんだろ？」

「うん。言《い》ってた」

「俺《おれ》さ、心霊現象《しんれいげんしょう》とか都市伝説《としでんせつ》みたいなもの、ぜんぜん信《しん》じないんだよね。現実的《げんじつてき》じゃないし」

そこまで言《い》われると、ちょっとおちこむ。こわがっている自分《じぶん》が、まるでばかみたいに思《おも》えてくる。

（私《わたし》をはげましているつもりなのは、わかってるんだけどね）

岬《みさき》は気《き》をとりなおして微笑《ほほえ》み、こたえた。

「うん。だよね」

（そうだよね……ただの作《つく》り話《ばなし》だよ……）

きっとなにも起《お》きない。

つれていかれるはずがない。

しかし、岬《みさき》の不安《ふあん》は消《き》えなかった。

（眠《ねむ》れない……）

六人部屋《にんべや》の和室《わしつ》のふとんに横《よこ》たわった岬《みさき》のまぶたは、ぱっちりと開《ひら》いている。就寝時間《しゅうしんじかん》をとっくにすぎたのに、目《め》がさえてしまって眠《ねむ》れる気《き》がしない。

(よりによって、山本《やまもと》さんと同《おな》じ部屋《へや》なんて)

部屋《へや》わりは、二年生《ねんせい》の女子全員《じょしぜんいん》をまぜて、くじびきで決《き》まった。

暗《くら》い部屋《へや》のなかを見《み》まわす。岬以外《みさきいがい》の五人《にん》は、流那子《るなこ》をはじめ、みんなぐっすりと眠《ねむ》っている。

この宿泊所《しゅくはくじょ》は掃除《そうじ》をした高台《たかだい》のすぐそばに建《た》ち、窓《まど》から見《み》おろせる距離《きょり》に海《うみ》がある。

ザザーッという波《なみ》の音《おと》が、部屋《へや》が静《しず》かなせいか、昼間《ひるま》よりも大《おお》きく聞《き》こえた。

その音《おと》に身《み》をゆだねているうちに、世界《せかい》に自分《じぶん》だけとりのこされたような気《き》がしてきて、こわくなった。

(碧《あおい》くん、きっとまだ寝《ね》てないよね…………)

岬《みさき》はむくりと起《お》きあがり、スマートフォンを手《て》にとる。

二十三時《にじゅうさんじ》四十二分《よんじゅうにふん》。もうすぐ真夜中《まよなか》だ。

(こんな時間《じかん》に電話《でんわ》したら、迷惑《めいわく》かな)

岬《みさき》が画面《がめん》をタップしようとした、そのときだった。

暗闇《くらやみ》のなかに人影《ひとかげ》が見《み》えた。

人影《ひとかげ》は、押《お》し入《い》れの近《ちか》くに立《た》って、こちらをじっと見《み》ている。

(えっ!?)

目《め》をこらしてみると、その人影《ひとかげ》は、寝《ね》ているとばかり思《おも》っていた流《る》那《な》子《こ》だった。

「や、山本《やまもと》さん………?」

岬《みさき》は立《た》ちあがり、近《ちか》くに寄《よ》っていった。

流《る》那《な》子《こ》は顔《かお》を赤《あか》らめ、気《き》まずそうに岬《みさき》を見《み》る。

「どうしたの?」

「ト、トイレに……行《い》こうと思《おも》って………」

ふだんとはちがい、肩《かた》をすくめ、びくびくとおびえているようだった。

「そうなんだ」

一階《いっかい》のロビーで電話《でんわ》をしようと思《おも》った岬《みさき》は、流《る》那《な》子《こ》の横《よこ》を通《とお》りすぎ、部屋《へや》の外《そと》へでていった。するとなぜか流《る》那《な》子《こ》もついてくる。

そのままロビーにむかおうとする岬《みさき》に、流《る》那《な》子《こ》が叫《さけ》んだ。

「ね、ねえっ! あんたも、トイレに行《い》くんでしょ? そうじゃないの?」

（もしかして、ひとりで行《い》くのがこわいの？）

岬《みさき》がひきかえすと、流那子《るなこ》はばつが悪《わる》そうな顔《かお》をして、トイレの出入《でい》り口《ぐち》を開《あ》けた。どうやらいっしょに入《はい》れ、ということらしい。

「別《べつ》についてきてって言《い》ってないから。あんたが勝手《かって》に来《き》たんだからね？」

「う、うん」

流那子《るなこ》が個室《こしつ》に入《はい》り、なぜか岬《みさき》は外《そと》で待《ま》つことになってしまった。

（……………ひどいことされたのに、お人《ひと》よしだな、私《わたし》）

手持《ても》ち無沙汰《ぶさた》になり、窓《まど》から外《そと》をながめた。

空《そら》にはまるく大《おお》きな月《つき》がでていて、月明《つきあ》かりに照《て》らされた海《うみ》がキラキラ光《ひか》っている。

「いる!?」

個室《こしつ》のなかから流那子《るなこ》が叫《さけ》んだ。よほどこわいのだろう。

「いるよー」

岬《みさき》は窓《まど》の外《そと》に目《め》をやったまま返事《へんじ》をした。

海《うみ》は凪《な》いでいて、波《なみ》はおだやかだ。しかしその波間《なみま》で、なにかが動《うご》いた。

「ん？」

黒《くろ》いなにかが、水面《すいめん》にのそりとつきだしたのだ。

（サメ？　…………じゃないよね。なんだろう、魚《さかな》かな…………）

岬《みさき》は窓《まど》に近《ちか》づき、目《め》を細《ほそ》める。

黒《くろ》いなにかは、だんだんと波打《なみう》ち際《ぎわ》に近《ちか》づいてくる。

しだいに、それがなんの形《かたち》をしているのか、岬《みさき》にはわかってきた。

人間《にんげん》だ。

黒《くろ》い布《ぬの》をかぶった――いや、ぬれた黒《くろ》いロングヘアが体《からだ》にからみついた、人間《にんげん》。

ガチャ、とドアが開《あ》く音《おと》がして、岬《みさき》はびくりと体《からだ》をかたくした。

個室《こしつ》から流那子《るなこ》がでてきたのだ。

「どしたの？」

岬《みさき》はサッと振《ふ》りかえり、震《ふる》える声《こえ》でこたえる。

「…………あ、ううん」

（いま…………いま…………）

もう一度《いちど》、窓《まど》の外《そと》をのぞいてみた。

（あれ？　いない。見《み》まちがい？）

そうに決《き》まっている。月明《つきあ》かりが反射《はんしゃ》して、ありもしないものが見《み》えただけだ。

「なんでもないよ。部屋《へや》に戻《もど》ろう」

ふたりはトイレからでて、静《しず》かにろうかを歩《ある》いた。

どの部屋《へや》からも音《おと》がしない。みんな寝《ね》しずまっている。ぺたぺたというふたりのスリッパの音《おと》だけが、ろうかにひびく。

ふいに、流那子《るなこ》が口《くち》を開《ひら》いた。

「……………あのさ、昼間《ひるま》のことさ……………」

「え？」

「あの…………ご、ごめ――――」

もごもごと口《くち》ごもる流那子《るなこ》の横顔《よこがお》を、岬《みさき》はみつめた。

（もしかして、あやまってくれるの？）

ところが突然《とつぜん》、流那子《るなこ》の表情《ひょうじょう》が凍《こお》りつく。

流那子《るなこ》はまっすぐつづくろうかのむこうをみつめたまま、唇《くちびる》を震《ふる》わせている。

岬《みさき》も、その視線《しせん》の先《さき》を見《み》た。

ろうかのつきあたりに、誰《だれ》かがいた。

それは岬《みさき》たちに対《たい》して横《よこ》をむき、だらりと両手《りょうて》をたらして立《た》っていた。

古《ふる》びたワンピース。

体《からだ》にからみついた黒《くろ》いロングヘア。

体全体《からだぜんたい》が、いままさに海《うみ》からあがってきたかのように、びしょびしょにぬれている。

ポタ……ポタ……。

髪《かみ》から、両手《りょうて》の先《さき》から、ワンピースのすそからも水《みず》がしたたりおち、足《あし》もとに水《みず》たまりを作《つく》っていた。

（ま、まさかさっきの……）

岬《みさき》が息《いき》をころしていると、流那子《るなこ》がつぶやく。

「……なにあれ」

その声《こえ》が聞《き》こえたのか、ずぶぬれの女《おんな》は、ゆっくりと体《からだ》のむきを変《か》えた。

ポタ……ポタ……。

正面《しょうめん》をむいた女《おんな》は、一歩《いっぽ》、また一歩《いっぽ》とこちらへむかってくる。

「やだ、やだ、こっちに来《く》る！」

流那子《るなこ》は腰《こし》を抜《ぬ》かし、その場《ば》にへたりこんだ。岬《みさき》はその腕《うで》をつかみ、立《た》ちあがらせる。

「走《はし》って！」

ふたりは、女《おんな》に背《せ》をむけてかけだした。

(部屋《へや》！　部屋《へや》のなかに逃《に》げよう！)

近《ちか》くの部屋《へや》の引《ひ》き戸《ど》を開《あ》けようとしたが、なぜか戸《と》はびくともしない。

「開《あ》けて！」

「誰《だれ》か！」

ふたりで戸《と》をたたく。しかし、誰《だれ》かが起《お》きてくる気配《けはい》はなかった。

ポタ…………ポタ…………。

女《おんな》がゆっくりと近《ちか》づいてくる。

ふたりはとなりの部屋《へや》の戸《と》に飛《と》びついた。だが、こちらも開《あ》かない。

ポタ…………ポタ…………。

このままでは追《お》いつかれてしまう。

ろうかの先《さき》には階段《かいだん》がある。上《うえ》に行《い》けば、先生《せんせい》たちのいる部屋《へや》があるが、その戸《と》も開《あ》かないかもしれない。

下《した》はロビーだ。外《そと》にでれば、逃《に》げられる可能性《かのうせい》が――。

「下《した》に行《い》こう!」

岬《みさき》はそう判断《はんだん》し、流那子《るなこ》の腕《うで》をひっぱった。

階段《かいだん》をかけおり、玄関《げんかん》のガラスドアに走《はし》っていく。

「開《あ》かない!?」

引《ひ》き手《て》をつかんでガタガタゆするが、ドアは開《ひら》かなかった。

――――女《おんな》の命日《めいにち》に最初《さいしょ》に靴《くつ》をおいた者《もの》は、つれていかれる。

麦《むぎ》わら帽子《ぼうし》をかぶった男《おとこ》の言葉《ことば》が、岬《みさき》の耳《みみ》によみがえる。

水《みず》のしたたる音《おと》がだんだん近《ちか》づいてきた。

するとそのとき、

「きゃぁぁぁっ!!」

叫《さけ》び声《ごえ》とともに、流那子《るなこ》が岬《みさき》の背中《せなか》をつきとばした。

床《ゆか》に倒《たお》れた岬《みさき》は、ひざと手《て》を思《おも》いきり打《う》ちつけ、痛《いた》みに顔《かお》をゆがめる。

「痛《いた》っ…………!」

「あいつの目的《もくてき》はあんたでしょ!!」

流那子《るなこ》はそう吐《は》き捨《す》てると、くるりと背中《せなか》をむけて走《はし》りだした。

「待《ま》って…………」

立《た》ちあがれず、すがるように手《て》をのばした岬《みさき》をおいて、流《る》那《な》子《こ》は走《はし》り去《さ》ってしまった。


ポタ…………ポタ…………。


背後《はいご》から、女《おんな》が近《ちか》づいてくる気配《けはい》がする。

(立《た》てない…………もうダメだ…………)

手足《てあし》が痛《いた》い。息《いき》ができない。

「っ…………」

岬《みさき》はやっとのことで、短《たん》パンのポケットからスマートフォンをとりだし、碧《あおい》に電話《でんわ》をかけた。

手《て》が震《ふる》える。プルルルという呼《よ》びだし音《おん》がもどかしい。

何度《なんど》か呼《よ》びだしたあと、声《こえ》が聞《き》こえた。

『はい』

「碧《あおい》くんっ…………」

岬《みさき》は体《からだ》を起《お》こして床《ゆか》に座《すわ》り、スマートフォンにしがみつく。

『岬《みさき》？　どうした？』

「お願《ねが》い、助《たす》けてっ」

『えっ？』

「女《おんな》の人《ひと》が…………女《おんな》の人《ひと》がっ！」

ポタ…………ポタ…………。

女《おんな》は、岬《みさき》のすぐうしろまで迫《せま》っていた。

「あの話《はなし》、本当《ほんとう》だったの！　いま、玄関《げんかん》にいて、女《おんな》の人《ひと》がいるの！　助《たす》けてっ!!」

しかし、碧《あおい》の声《こえ》が聞《き》こえてこない。

「もしもし!?　碧《あおい》くん!?」

とっさに画面《がめん》を見《み》ると「通話終了《つうわしゅうりょう》」という文字《もじ》がでている。

「碧《あおい》……く……」

ぼうぜんとする岬《みさき》の頭《あたま》に、冷《つめ》たい水滴《すいてき》が落《お》ちてきた。

ポタッ――。

（いる……私《わたし》の上《うえ》に顔《かお》がある……のぞきこんでる……）

岬《みさき》はスマートフォンをにぎりしめたまま、ガタガタと震《ふる》えた。

そのときだった。

「岬《みさき》っ!!」

血相《けっそう》を変《か》えた碧《あおい》が走《はし》ってきた。

岬《みさき》が顔《かお》をあげた瞬間《しゅんかん》、こちらを見《み》おろしている女《おんな》の表情《ひょうじょう》がわずかに見《み》えた。

ぬれた髪《かみ》でかくれているその顔《かお》は、なぜかとまどっているようだった。

「大丈夫《だいじょうぶ》か!?」

と、肩《かた》をつかまれ、視線《しせん》を碧《あおい》に移《うつ》す。

「き、来《き》てくれたの………？」

岬《みさき》の目《め》から、涙《なみだ》があふれだした。

「当《あ》たり前《まえ》だろ。スマホ落《お》としたら、通話《つうわ》がきれちゃったんだ」

肩《かた》を震《ふる》わせて泣《な》く岬《みさき》の頭《あたま》を、碧《あおい》が抱《だ》き寄《よ》せる。

「来《き》てくれて、ありがとう………」

「それより、ひざすりむいてるじゃん」

「………大丈夫《だいじょうぶ》。もう痛《いた》くないから」

涙《なみだ》をふきながら、うしろを振《ふ》りかえる。

「あれ？　女《おんな》の人《ひと》は？」

ずぶぬれの女《おんな》は、いつの間《ま》にかいなくなっていた。

「俺《おれ》、そんな人《ひと》、見《み》なかったけど」

しかし、水《みず》のしたたる足跡《あしあと》だけは、まるでなめくじが通《とお》ったあとのように、ろうかに残《のこ》っていた。

ちょうどそのころ。

三階《がい》のろうかまで走《はし》ってきた流那子《るなこ》は、床《ゆか》にくずおれた。

「はぁ……はぁ……」

部屋《へや》の戸《と》をたたき、入《い》れてほしいと叫《さけ》んだのに、どの部屋《へや》も開《あ》かず、誰《だれ》も起《お》きてくれなかった。

「私《わたし》は悪《わる》くないっ」

叫《さけ》びつづけたせいで、流那子《るなこ》の声《こえ》はかれていた。

ふと、人《ひと》の気配《けはい》がして顔《かお》をあげる。

そこには、あの女《おんな》が立《た》っていた。

黒《くろ》く長《なが》い髪《かみ》が顔《かお》や胸《むね》をおおい、足《あし》もとが水《みず》でびしょびしょにぬれている。

「……どうして……おいたのは私《わたし》の靴《くつ》じゃな――」

そこで流那子《るなこ》は、はっと気《き》づいた。

――女《おんな》の命日《めいにち》に最初《さいしょ》に靴《くつ》をおいた者《もの》は、つれていかれる。

最初《さいしょ》においた者《もの》。

立入禁止区域《たちいりきんしくいき》に立《た》ち入《い》った、つまり最初《さいしょ》に地面《じめん》を踏《ふ》んだのは、流那子《るなこ》の靴《くつ》だ。

「あれも………『おいた』って………こと………？」

どんな方法《ほうほう》でもいい。

女《おんな》の命日《めいにち》に、あの場所《ばしょ》に靴底《くつぞこ》をつけた、最初《さいしょ》の者《もの》――。


その夜《よる》、流那子《るなこ》は消《き》えた。

荷物《にもつ》を部屋《へや》に全部残《ぜんぶのこ》したまま、いなくなってしまったのだ。

真澄《ますみ》が気味悪《きみわる》そうに言《い》う。

「身投《みな》げした女《おんな》につれていかれた………とか？」

チカは笑《わら》った。

「まさかー。あいつのことだから、自然教室《しぜんきょうしつ》にあきて帰《かえ》っちゃったんじゃないの？　だって、つれていかれるなら、最初《さいしょ》に靴《くつ》をおかれた岬《みさき》でしょ。ね、岬《みさき》」

「…………う、うん。そうかもね」

帰《かえ》りのバスにのりこんだ岬《みさき》は、窓《まど》の外《そと》をぼんやりながめた。

あの麦《むぎ》わら帽子《ぼうし》の男《おとこ》がいて、生徒《せいと》たちに手《て》を振《ふ》っている。

「また来《き》てねーっ」

晴《は》ればれとした笑顔《えがお》だ。

岬《みさき》は、ふと考《かんが》えた。

（どうしてあの女《おんな》の人《ひと》は、誰《だれ》かをつれていくんだろう…………）

考《かんが》えてもよくわからなかったが、ひとつ思《おも》ったことがある。

（もしかしたらあの女《おんな》の人《ひと》には、いっしょに死《し》ぬはずだった人《ひと》がいて、でも裏切《うらぎ》られて。

ひとりで飛《と》びおりて、ずっとその人《ひと》をさがしてるんじゃないかな）

暗《くら》くて冷《つめ》たい海《うみ》のなかに、ひとりでいるのがさびしくて。

自分《じぶん》と同《おな》じように靴《くつ》をおいた人《ひと》なら、きっと海《うみ》のなかにも来《き》てくれると信《しん》じているのかもしれない。

（そうだったら、ちょっと気持《きも》ち、わかるな…………）

碧《あおい》との通話《つうわ》がきれたとき、岬《みさき》は裏切《うらぎ》られたと勘《かん》ちがいし、とても悲《かな》しい気持《きも》ちになった。

彼女《かのじょ》もきっと悲《かな》しがっているのだろう。

(さよなら)

岬《みさき》は心《こころ》のなかで、あの女《おんな》に別《わか》れを告《つ》げた。

あの夜《よる》をさかいに、流那子《るなこ》の姿《すがた》を見《み》た者《もの》はいない。

エピローグ

百二十五時間目《ひゃくにじゅうごじかんめ》の授業《じゅぎょう》はいかがでしたか？

人《ひと》をおとしいれようとしていた少女《しょうじょ》は、逆《ぎゃく》に自分《じぶん》が地獄《じごく》へ落《お》ちてしまいました。

女《おんな》の人《ひと》につれていかれるのは、立入禁止区域《たちいりきんしくいき》に最初《さいしょ》に靴《くつ》をおいた者《もの》。

そこへ立《た》ち入《い》ったらもう「靴《くつ》をおいた」ことになるのです。

ひとりで身《み》を投《な》げた女《おんな》には、また新《あたら》しい友《とも》だちができましたね。

つれていかれたあの少女《しょうじょ》は、いまごろ、他《ほか》の仲間《なかま》たちと、海《うみ》のなかで楽《たの》しく暮《く》らしているかもしれません。

ところで、麦《むぎ》わら帽子《ぼうし》をかぶった男《おとこ》は、いったい誰《だれ》だったのでしょう。

もしかしたら、女《おんな》の人《ひと》と死《し》ぬはずだったのは、彼《かれ》なのでは？

自分《じぶん》がつれていかれないように、他《ほか》の人《ひと》にあの話《はなし》をして、ワナにかけているのでは？

……なんて、これはただの妄想《もうそう》です。お気《き》になさらず。
みなさんも「立入禁止《たちいりきんし》」の看板《かんばん》を見《み》かけたら注意《ちゅうい》して。
なぜそこに入《はい》ってはいけないのか、よく考《かんが》えてみてください。
もしなかへ入《はい》るのなら、自己責任《じこせきにん》で。
恐怖《きょうふ》の世界《せかい》へつれていかれても、文句《もんく》は言《い》いっこなしですよ。

126時間目《じかんめ》

暗《くら》闇《やみ》鬼《おに》ごっこ

プロローグ

　こんにちは。
　百《ひゃく》二《に》十《じゅう》六《ろく》時《じ》間《かん》目《め》の授業《じゅぎょう》をはじめましょう。
　みなさんは、鬼《おに》ごっこをしたことがありますか？
　道具《どうぐ》がいらない、シンプルなゲームです。
　鬼《おに》ごっことひと口《くち》に言《い》っても、いろいろな種類《しゅるい》がありますよね。
　高《たか》い場所《ばしょ》にいないとつかまる「たかおに」。
　鬼《おに》が言《い》った色《いろ》をさわっていないとつかまる「いろおに」。

鬼《おに》にタッチされると動《うご》けなくなる「氷《こおり》おに」。
二《ふた》チームにわかれて相手《あいて》チームをつかまえる「ケイドロ」。
鬼《おに》がどんどんふえていく「ふやしおに」。
今回《こんかい》は、みんなで鬼《おに》ごっこをするお話《はなし》です。
なんだかとっても楽《たの》しそうですね。
さて、いったいどのタイプの鬼《おに》ごっこをするのでしょうか。
誰《だれ》が鬼《おに》で、誰《だれ》をつかまえるのでしょうか。
そして、みんな生《い》きて帰《かえ》れるのでしょうか。
それではゲームのスタートです！

七月《がつ》のある日《ひ》の夕方《ゆうがた》。

中学《ちゅうがく》一年生《ねんせい》の槙村陽花《まきむらようか》は、小学校時代《しょうがっこうじだい》の同級生《どうきゅうせい》ふたりと、母校《ぼこう》の前《まえ》に立《た》っていた。

「なつかしー。小学校《しょうがっこう》」

桃《もも》が校舎《こうしゃ》を見《み》あげてはしゃぐ。左右《さゆう》の耳《みみ》の上《うえ》で、「×」をつくるようにとめたヘアピンは、小学生《しょうがくせい》のころとまったく同《おな》じだ。

「校舎《こうしゃ》の雰囲気《ふんいき》、ぜんぜん変《か》わってないね」

そう言《い》った恵菜《えな》は、長《なが》い前髪《まえがみ》をななめに流《なが》して、少《すこ》し大人《おとな》っぽくなっていた。

「この前《まえ》、卒業《そつぎょう》したばっかじゃん」

陽花《ようか》はあきれて言《い》った。陽花《ようか》は、卒業《そつぎょう》と同時《どうじ》に長《なが》かった髪《かみ》を切《き》り、いまはショートボブ。

そして、陽花《ようか》だけは、セーラー服《ふく》ではなく、ブラウスとリボンの制服《せいふく》を着《き》ていた。

彼女《かのじょ》は四月《がつ》なかばに遠《とお》くの町《まち》へ引《ひ》っ越《こ》すことになり、入学早々《にゅうがくそうそう》、転校《てんこう》したのだ。

桃《もも》と恵菜《えな》が笑《わら》う。

「えへへ。うちら、卒業《そつぎょう》してまだ半年《はんとし》もたってなかったね」

「でもなんか、すごく昔《むかし》のような気《き》がするな」

「早《はや》く入《はい》ろ」

いつもクールな陽花《ようか》は、なつかしそうなそぶりも見《み》せず、先《さき》に歩《ある》きだした。

「えっ、待《ま》ってよ～」

「陽花《ようか》、歩《ある》くの速《はや》いってば」

桃《もも》と恵菜《えな》は、あわててうしろをついていく。

校庭《こうてい》で遊《あそ》んでいる小学生《しょうがくせい》たちを横目《よこめ》に、三人《にん》は旧校舎《きゅうこうしゃ》の昇降口《しょうこうぐち》に行《い》き、そっとガラスドアを開《あ》けた。

「わー。こっちの校舎《こうしゃ》に入《はい》るの、超《ちょう》ひさしぶり！」

桃《もも》があたりを見《み》まわす。

新《あたら》しい校舎《こうしゃ》ができたあと、旧校舎《きゅうこうしゃ》は倉庫《そうこ》がわりに使《つか》われていた。陽花《ようか》たちが入学《にゅうがく》したときにはもう新校舎《しんこうしゃ》で授業《じゅぎょう》をしていたから、この状態《じょうたい》になってずいぶんたつようだ。

「うちら、旧校舎《きゅうこうしゃ》に来《く》ること、あんまりなかったもんね」

建物《たてもの》のなかは、外《そと》とちがってうす暗《ぐら》い。

空気《くうき》もひんやりしていて、半袖《はんそで》を着《き》た腕《うで》から、すっと汗《あせ》がひいた。

三人《にん》は昇降口《しょうこうぐち》にあったスリッパに履《は》きかえ、校舎《こうしゃ》に入《はい》っていく。

「入校《にゅうこう》の許可《きょか》みたいなのはとってないから、みつからないようにしてね」

陽花《ようか》が念《ねん》を押《お》すと、桃《もも》が聞《き》いた。

「もしみつかったらどうする？」

「忘《わす》れ物《もの》をとりにきたとか、適当《てきとう》にこたえればいいんじゃない？」

恵菜《えな》がのんびりとこたえる。

「ある意味《いみ》、まちがってないしね」

「だね」

三人《にん》はパタパタとスリッパの足音《あしおと》をたてながら、階段《かいだん》をあがっていった。ひとけがなく、話《はな》し声《ごえ》も足音《あしおと》もよくひびく。

長《なが》い間《あいだ》授業《じゅぎょう》には使《つか》われていないだけあって、階段《かいだん》のすみにはほこりがたまり、鼻《はな》がむずむずした。

桃《もも》が、くしゅん、とくしゃみをする。

「ねえ、陽花《ようか》。本当《ほんとう》に麻衣子《まいこ》から手紙《てがみ》が来《き》たの？」

「うん。うちらがいじめたとか、手紙《てがみ》にすごい書《か》いてあったよ」

「はぁ!?　ぬれ衣《ぎぬ》じゃん」

桃《もも》がぷんぷん怒《おこ》り、恵菜《えな》と顔《かお》を見《み》あわせる。

「あいつが死《し》んだの、うちらのせいじゃないのにね～」

「そうだよ。うちらはいじめてないよ」

桃《もも》と恵菜《えな》はしゃべりつづけている。

「いじめてたのって、男子《だんし》だっけ？」

「うーん……男子《だんし》もいじめてたけど、他《ほか》の女子《じょし》グループとか、上履《うわば》きかくしたりしてたじゃん」

「あー、やってた、かも」

「もう詳《くわ》しいこと、忘《わす》れちゃったね」

ふたりの声《こえ》を聞《き》きながら、陽花《ようか》は麻衣子《まいこ》のことを思《おも》いだしていた。

(佐々木麻衣子《ささきまいこ》………)

三人《にん》と麻衣子《まいこ》は、六年生《ねんせい》のときに同《おな》じクラスだった。いつも地味《じみ》な色《いろ》のトレーナーやズボンを着《き》ていたのを覚《おぼ》えている。麻衣子《まいこ》はあまり活発《かっぱつ》な子《こ》どもではなく、クラスで孤立《こりつ》していた。

そして、まわりから陰湿《いんしつ》ないじめを受《う》けていた。

彼女《かのじょ》は卒業式《そつぎょうしき》の前日《ぜんじつ》、ひとりで旧校舎《きゅうこうしゃ》に行《い》き、自殺《じさつ》した。

遺書《いしょ》も残《のこ》さずに。

当然《とうぜん》、大変《たいへん》な騒《さわ》ぎになった。子《こ》どもたちは、先生《せんせい》やスクールカウンセラーの面談《めんだん》を受《う》けたりした。新聞《しんぶん》やネットにも、いろいろなことを書《か》かれた。

小学生女児《しょうがくせいじょじ》　自殺《じさつ》
「いじめはなかった」と校長《こうちょう》

小学校側《しょうがっこうがわ》、責任逃《せきにんのが》れか

面談《めんだん》だけでなく、いじめの調査《ちょうさ》も行《おこな》われたが、クラスメイトはみんな黙《だま》りつづけた。誰《だれ》ひとり、いじめがあったことを語《かた》らなかったのだ。

遺書《いしょ》もなく、クラスの証言《しょうげん》もないとなると、自殺《じさつ》の理由《りゆう》がうやむやになる。結局《けっきょく》、学校《がっこう》側《がわ》は「いじめられていたという事実《じじつ》はない」ということにしたらしい。

(それにしても、あんな手紙《てがみ》、いつ入《い》れたんだろう………)

陽花《ようか》はろうかを歩《ある》きながら、考《かんが》えた。

その手紙《てがみ》をみつけたのは、つい最近《さいきん》。まだかたづけていなかった引《ひ》っ越《こ》しの荷物《にもつ》を開《あ》けていたときだった。

段《だん》ボール箱《ばこ》からピンク色《いろ》のランドセルをとりだし、ふたを開《あ》けると、なかに四《よ》つ折《お》りにされた紙《かみ》が入《はい》っていたのだ。

『なにこれ………』

首《くび》をかしげながら、開《ひら》いてみる。

すると、手書《てが》きの文字《もじ》でこう書《か》かれていた。

いじめの証拠《しょうこ》を
旧校舎第二教室《きゅうこうしゃだいにきょうしつ》にかくした
死《し》ぬ気《き》でさがしてみろ

筆圧《ひつあつ》の高《たか》い、しっかりした文字《もじ》。読《よ》んですぐにわかった。

(麻衣子《まいこ》が書《か》いたんだ)

陽花《ようか》は、おそろしいと感《かん》じるより、あきれてしまった。

(私《わたし》はなにもしてないのに、脅迫《きょうはく》みたいなこと書《か》いちゃって)

『本当《ほんとう》、どういうつもり?』

麻衣子《まいこ》の上履《うわば》きをかくしたり、教科書《きょうかしょ》に落書《らくが》きをしたりしたのは、別《べつ》のクラスメイトだ。

陽花《ようか》ではない。

それに、こんなことをしても、もう遅《おそ》い。

『あんたはもう死《し》んでるんだよ』

手紙《てがみ》をみつめながら、陽花《ようか》はそう吐《は》き捨《す》てた。

しかし、「いじめの証拠《しょうこ》」があるというのなら、みつけて捨《す》ててしまったほうが安全《あんぜん》だ。

だからこうして学校帰《がっこうがえ》りに、はるばる遠《とお》い町《まち》からやってきたのだった。

(早《はや》くさがさなくちゃ)

陽花《ようか》はあの手紙《てがみ》を受《う》けとってしまったから真剣《しんけん》だったが、他《ほか》のふたりはのんきだ。

「ねえ、せっかく陽花《ようか》が地元《じもと》に戻《もど》ってきたんだから、どっか遊《あそ》びに行《い》こうよ」

ふたりは遊《あそ》ぶ気《き》まんまんらしい。

「桃《もも》のやつ、あんたが引《ひ》っ越《こ》してからさびしがってんの」

「恵菜《えな》だって、さびしがってたじゃん」

「そりゃそうだよ。だって六年《ねん》のときは、いつも三人《にん》いっしょだったんだから。ひとりぬけたらさびしいもん。ね、陽花《ようか》?」

前《まえ》を歩《ある》いていた陽花《ようか》は振《ふ》りかえり、微笑《ほほえ》んだ。

「……………そうだね。終《お》わったらどっか行《い》くか」

「やったー！」

「どこ行《い》く？　カフェ？　カラオケ？」

陽花《ようか》はそれ以上話《いじょうはなし》にくわわらず、どんどん歩《ある》いていく。

三階《がい》の一番《いちばん》はしの部屋《へや》。そこが例《れい》の場所《ばしょ》、第《だい》二教室《きょうしつ》だ。

「………ここだよね」

三人《にん》は扉《とびら》の前《まえ》に立《た》った。

扉《とびら》のガラス部分《ぶぶん》には、「立入禁止《たちいりきんし》」と手書《てが》きされた、大《おお》きな画用紙《がようし》が貼《は》ってある。

画用紙《がようし》のすきまからなかをのぞいたが、うす暗《ぐら》くてよく見《み》えない。

桃《もも》がぽつりとつぶやいた。

「あいつ、なんでわざわざこんな場所《ばしょ》に………」

「桃《もも》、あんなウワサ、信《しん》じてるの？」

陽花《ようか》が言《い》うと、桃《もも》は不安《ふあん》そうな表情《ひょうじょう》を浮《う》かべる。

恵菜《えな》はウワサのことを知《し》らないようだ。

「えっ、なに？」

と、きょとんとして問《と》いかける。

桃《もも》がためらいながら話《はな》しはじめた。

「ほら、小六《しょう》のとき、ちょっと流行《はや》ったじゃん」

それは、「鬼女《おにめ》さん」という化《ば》け物《もの》の話《はなし》だった。

「この第《だい》二教室《きょうしつ》には、鬼女《おにめ》さんっていう化《ば》け物《もの》がすんでるんだって。彼女《かのじょ》は鬼《おに》ごっこが大《だい》好《す》きで、会《あ》ったらかならず鬼《おに》ごっこをしかけてくる。だから、会《あ》ったら即《そく》、逃《に》げなきゃいけないの」

聞《き》きおえた恵菜《えな》が、噴《ふ》きだした。

「ははは！　子《こ》どもが好《す》きそうな話《はなし》だな」

「いや、笑《わら》ってるけど、本当《ほんとう》にいるらしいんだってば」

「じゃあ、つかまったらどうなるの？」

「えっと………どうなるんだっけ？」

「ほら、インチキくさい」

「でも、そういうウワサのある場所《ばしょ》で、麻衣子《まいこ》はわざわざ――」

ふたりが話《はな》している間《あいだ》、陽花《ようか》は扉《とびら》を開《あ》けようと、引《ひ》き手《て》をひいた。

だが、鍵《かぎ》でも閉《し》まっているのか、扉《とびら》は動《うご》かない。

（ここまで来《き》て教室《きょうしつ》に入《はい》れないとか、ありえないから！）

陽花《ようか》は扉《とびら》をにらむと、無言《むごん》で、ガン、と蹴《け》りとばした。

ガコンとにぶい音《おと》がして、扉《とびら》がレールからはずれる。それを持《も》ちあげ、横《よこ》にずらして壁《かべ》に立《た》てかける。扉《とびら》は重《おも》かったが、そんなことでひるんでいる場合《ばあい》ではなかった。

（証拠《しょうこ》をみつけないと）

ふと横《よこ》を見《み》ると、桃《もも》と恵菜《えな》が、目《め》をまるくして陽花《ようか》をみつめている。

「わ……………わいるど〜〜」

「すごく大《おお》きい音《おと》だったけど、ヤバくない？　誰《だれ》か来《き》ちゃわない？」

桃《もも》は、おびえてあたりを見《み》まわした。

急《いそ》いでいる陽花《ようか》は、きっぱりと言《い》った。

「いいから証拠《しょうこ》、さがそ」

「う、うん」

陽花《ようか》のいきおいにとまどいながら、ふたりは返事《へんじ》をした。

旧校舎《きゅうこうしゃ》にもまだ電気《でんき》は通《とお》っている。蛍光灯《けいこうとう》はつくのだが、つけると無断《むだん》で入《はい》ったことがバレてしまうので、三人《にん》はそれぞれ懐中電灯《かいちゅうでんとう》を持《も》ってきていた。

「わ………暗《くら》いね。それにほこりっぽい」

桃《もも》がけほけほと咳《せ》きこむ。

「カーテン閉《し》まってるし。開《あ》ける？」

「ダメだよ、桃《もも》。開《あ》けたらバレちゃう！」

「そうだよね。そのために懐中電灯《かいちゅうでんとう》、持《も》ってきたんだもんね」

三人《にん》は、持《も》っていた懐中電灯《かいちゅうでんとう》をつけた。

おそるおそる教室《きょうしつ》のなかへすすんでいくと、床《ゆか》がキュッときしんだ。

「床《ゆか》、抜《ぬ》けたりしないよね？」

心配性《しんぱいしょう》の桃《もも》がそう言《い》うと、恵菜《えな》が頬《ほお》をひくつかせた。

「大丈夫《だいじょうぶ》でしょ。そこまで古《ふる》くないし………たぶん」

恵菜《えな》もこわいのだ。おびえていないのは、陽花《ようか》だけだった。

「倉庫《そうこ》がわりになってるくらいだから、床《ゆか》なんて抜《ぬ》けないよ」

(それより早《はや》く、証拠《しょうこ》を……………)

周囲《しゅうい》を照《て》らし、まずは教室《きょうしつ》のなかの様子《ようす》を確認《かくにん》する。

教室《きょうしつ》の前《まえ》とうしろに黒板《こくばん》があり、うしろにはランドセルをおく低《ひく》い棚《たな》がある。

もともと教室《きょうしつ》として使《つか》われていた面影《おもかげ》はあるが、床《ゆか》のあちこちに、段《だん》ボール箱《ばこ》や古《ふる》いスチールのひきだしが散乱《さんらん》しているし、壁《かべ》ぞいには背《せ》の高《たか》い棚《たな》がある。

「本当《ほんとう》に物置《ものおき》って感《かん》じだね」

懐中電灯《かいちゅうでんとう》で教室《きょうしつ》の前《まえ》の黒板《こくばん》を照《て》らすと、そこには「みんなシネ」というきたない字《じ》の落《らく》書《が》きがあった。

「うわ、コワッ！」

恵菜《えな》が思《おも》わず声《こえ》をあげる。

「まさかこれ、麻衣子《まいこ》が………」

陽花《ようか》はきっぱりと否定《ひてい》した。

「在校生《ざいこうせい》のイタズラだよ。うちらみたいにここに忍《しの》びこんだやつが書《か》いたに決《き》まってる」

「そ、そっか〜」

ほっとした桃《もち》と恵菜《えな》から笑《え》みがこぼれる。

陽花《ようか》は真剣《しんけん》な表情《ひょうじょう》のまま、黒板消《こくばんけ》しを手《て》にとった。

(だって麻衣子《まいこ》の字《じ》は、こんなに雑《ざつ》じゃない)

手紙《てがみ》を受《う》けとった陽花《ようか》は知《し》っていた。麻衣子《まいこ》の字《じ》は、ひとつひとつが時間《じかん》をかけて書《か》いたように丁寧《ていねい》なのだ。

「消《け》すね」

素早《すばや》くイタズラ書《が》きを消《け》しながら、考《かんが》える。

(麻衣子《まいこ》が言《い》っている証拠《しょうこ》は、これじゃない。他《ほか》にあるはず)

「証拠《しょうこ》、さがすよ」

三人《にん》はあちこちを照《て》らしながら、教室《きょうしつ》のなかを歩《ある》きまわった。

しばらくすると、桃《もも》が「キャッ」と悲鳴《ひめい》をあげた。

「ま、待《ま》って……これ……」

陽花《ようか》と恵菜《えな》が振《ふ》りかえると、桃《もも》が棚《たな》の横《よこ》の床《ゆか》を指《ゆび》さしている。

ふたりはそこをのぞきこんで、息《いき》をのんだ。

「え…………うそ…………」

「これって…………」

床板《ゆかいた》に、黒《くろ》いシミがあった。

(もしかして、血《ち》のあと!?)

きっと血《ち》が床板《ゆかいた》のすきまや、表面《ひょうめん》についた傷《きず》に入《はい》ってしまい、掃除《そうじ》をしてもとりきれなかったのだろう。

恵菜《えな》がぶるっと震《ふる》えた。

「麻衣子《まいこ》、ここで!?」

まちがいない。麻衣子《まいこ》はちょうどこの場所《ばしょ》で死《し》んだのだ。

三人《にん》の心臓《しんぞう》がドクンドクンとはねあがる。背中《せなか》がじっとりと汗《あせ》ばむ。

陽花《ようか》は、重《おも》い空気《くうき》を断《た》ちきるように言《い》った。

「私《わたし》、あっちさがす」

素早《すばや》く移動《いどう》し、ごそごそと棚《たな》を調《しら》べはじめた。

「もうでたいよ〜、陽花《ようか》〜」

泣《な》きごとを言《い》う桃《もも》を無視《むし》して、陽花《ようか》は「証拠《しょうこ》」をさがしつづけた。

（なんで私《わたし》がこんなことしなくちゃいけないのよ）

イライラしながら、紙束《かみたば》のひもをほどく。

よく見《み》ると、束《たば》の一番上《いちばんうえ》にあるのは、六年生《ねんせい》のときクラスメイトだった氷田《ひだ》マリの落書《らくが》きだった。

いつもマリが書《か》いていた「ひだまり♡」というサインが入《はい》っている。きっと授業中《じゅぎょうちゅう》に没収《ぼっしゅう》され、ここにしまわれたのだろう。

陽花《ようか》はふと、マリのことを思《おも》いだした。


『ねえ、マリたちって麻衣子《まいこ》と友《とも》だちなの？』

六年生《ねんせい》の春《はる》。教室《きょうしつ》で、陽花《ようか》はそうマリに言《い》ったことがある。

陽花《ようか》と桃《もも》、恵菜《えな》は、クラスの女子《じょし》を仕切《しき》っていた。三人《にん》はクラスで特《とく》におしゃれだったし、派手《はで》で目立《めだ》つ存在《そんざい》だったのだ。

『うん。友《とも》だちだよ』
『うけるね』
そう言《い》うと、となりにいた桃《もも》と恵菜《えな》がくすくす笑《わら》った。
マリがひきつった笑《え》みを浮《う》かべる。
『え、そう？　ダメなの？』
『だって、あの子《こ》ださいじゃん』
陽花《ようか》は、席《せき》に座《すわ》って本《ほん》を読《よ》んでいる麻衣子《まいこ》を、あごで指《さ》ししめした。
麻衣子《まいこ》は背中《せなか》をまるめ、本《ほん》に夢中《むちゅう》になっている。
『麻衣子《まいこ》はださいって、みんな思《おも》ってると思《おも》うなー♡』
陽花《ようか》がにっこり微笑《ほほえ》むと、マリは小声《こごえ》でこたえた。
『…………そ、そうかも』
『マリもそう思《おも》わない？』
『…………思《おも》う』
それからしばらくたったころだ。

下校《げこう》のとき、教室《きょうしつ》をでていったマリたちに、麻衣子《まいこ》がかけ寄《よ》っていくのを見《み》た。

『ねえみんな、いっしょに帰《かえ》ろ』

笑顔《えがお》でそう声《こえ》をかけた麻衣子《まいこ》を、マリたちは無視《むし》した。振《ふ》りかえりもせず、ろうかを歩《ある》いていく。

陽花《ようか》の席《せき》のまわりに集《あつ》まっておしゃべりをしていた桃《もも》と恵菜《えな》は、その様子《ようす》を見《み》てびっくりし、それから苦笑《にがわら》いした。

『え？　なんかいま、無視《むし》してなかった？』

『こわっ！』

『この間《あいだ》まで仲良《なかよ》しだったよね？』

マリたちのいじめは、だんだんエスカレートしていった。

給食《きゅうしょく》の牛乳《ぎゅうにゅう》を頭《あたま》からかけたり、机《つくえ》に落書《らくが》きをしたり。そのうち、他《ほか》のクラスメイトもいじめにくわわるようになっていった。

陽花《ようか》たちは、涼《すず》しい顔《かお》でそれを見《み》ていた。

『ひどいねー、みんな』

『よくあんなことできるよね』
『かわいそー』

(私《わたし》たちが直接《ちょくせつ》いじめたんじゃない)
旧校舎《きゅうこうしゃ》の第《だい》二教室《きょうしつ》で「証拠《しょうこ》」をさがしながら、陽花《ようか》は思《おも》った。
(これは逆恨《さかうら》みよ)
いらだたしさに唇《くちびる》をかみしめながら、ふたたび別《べつ》の冊子束《さっしたば》に目《め》をやった。
すると、束《たば》の下《した》に、封筒《ふうとう》のようなものがある。
懐中電灯《かいちゅうでんとう》で照《て》らすと、封筒《ふうとう》に書《か》かれた文字《もじ》がはっきりと見《み》えた。

槙村陽花様《まきむらようかさま》

「これ…………」
陽花《ようか》が封筒《ふうとう》に手《て》をのばした、そのとき。

「ねえっ！」

桃《もも》が声《こえ》をあげた。教室《きょうしつ》のすみを指《ゆび》さしている。

「あ、あそこに………」

暗闇《くらやみ》のなかに、ぼんやりと白《しろ》いものが浮《う》かんでいた。

陽花《ようか》と恵菜《えな》が目《め》をこらす。それは人《ひと》の顔《かお》のように見《み》えた。

目《め》らしき、ふたつのくぼみ。

そのくぼみにかかっているのは、前髪《まえがみ》だろうか。

「………誰《だれ》かいるの？」

陽花《ようか》がそう聞《き》くと、恵菜《えな》が言《い》う。

「居残《いのこ》りの先生《せんせい》じゃね？」

気《き》をとりなおした桃《もも》が、白《しろ》い顔《かお》にむかって、無邪気《むじゃき》にあいさつした。

「こんにちはー。すいませーん。卒業生《そつぎょうせい》でーす。忘《わす》れ物《もの》をとりに——」

白《しろ》い顔《かお》がゆっくりと近《ちか》づいてきた。

すべるようにこちらへむかってくる。

しかしなぜか、体《からだ》は見《み》えない。

「え…………？」

三人《にん》はその場《ば》にたちすくんだ。

顔《かお》だけが、宙《ちゅう》に浮《う》かんでいるのだ。どんなに目《め》をこらしても、顔《かお》しか見《み》えない。

白《しろ》い顔《かお》は、横《よこ》にさけたような口《くち》で、にたっと笑《わら》う。

つぎの瞬間《しゅんかん》、顔《かお》の横《よこ》からにゅっと腕《うで》が現《あらわ》れ、三人《にん》につかみかかろうとした。

「キャアアアァッ!!」

三人《にん》は第《だい》二教室《きょうしつ》から飛《と》びだし、階段《かいだん》をかけおりた。

そして、二階《かい》の階段《かいだん》のすぐ横《よこ》にある教室《きょうしつ》に飛《と》びこみ、扉《とびら》を閉《し》める。

みんなハァハァと息《いき》が乱《みだ》れ、足《あし》が震《ふる》えていた。

「な、なにあれ!?」

恵菜《えな》がそう言《い》うと、桃《もも》が涙《なみだ》を浮《う》かべながら叫《さけ》ぶ。

「知《し》らないよ！」

しかし、陽花《ようか》は見《み》たのだった。

あの顔《かお》の頭《あたま》には、うすい三日月《みかづき》のような形《かたち》の二本《ほん》のツノが生《は》えていた。

それはまるで――。

「鬼《おに》……」

陽花《ようか》がつぶやくと、桃《もも》が泣《な》き叫《さけ》んだ。

「もうやだ！　帰《かえ》ろう！　いじめの証拠《しょうこ》なんてもういいよ！　うちらなにもしてないんだし！」

桃《もも》は走《はし》りだし、教室《きょうしつ》からでようとして、扉《とびら》をガラッと開《あ》ける。

「早《はや》く帰《かえ》――」

三人《にん》はこおりついた。

開《あ》けた扉《とびら》の外《そと》に、あの顔《かお》があったのだ。

横《よこ》にさけたような口《くち》。

焦点《しょうてん》の合《あ》わない細《ほそ》い目《め》。

ばらばらと顔《かお》にかかる長《なが》い前髪《まえがみ》。

頭《あたま》には、鋭《するど》くとがった二本《ほん》のツノ――。

（……あれは鬼女《おにめ》さん!?）

会《あ》ったらかならず鬼《おに》ごっこをしかけてくる――会《あ》ったら逃《に》げなければならないという、あの化《ば》け物《もの》だ。

陽花《ようか》はとっさに、近《ちか》くにいた恵菜《えな》の腕《うで》をひいて逃《に》げだした。教室《きょうしつ》のもう片方《かたほう》の扉《とびら》にむかう。ろうかにでる瞬間《しゅんかん》、陽花《ようか》は見《み》た。

桃《もも》が、鬼女《おにめ》の腕《うで》にからめとられているのを。

それでも陽花《ようか》は足《あし》をとめなかった。昇降口《しょうこうぐち》まで走《はし》りドアを開《あ》けようとしたそのとき、恵菜《えな》に腕《うで》をひっぱられた。

「陽花《ようか》!!」

立《た》ちどまって振《ふ》りかえる。

「桃《もも》を助《たす》けないと！」

恵菜《えな》にみつめられ、陽花《ようか》は眉間《みけん》にしわを寄《よ》せた。

「友《とも》だちでしょ！」

「――そうだね」

陽花《ようか》はそうこたえたが、戻《もど》るのは桃《もも》を助《たす》けるためではない。

(あれを回収《かいしゅう》しないと……)

第二教室《だいきょうしつ》においてきてしまった、陽花《ようか》あての手紙《てがみ》。「いじめの証拠《しょうこ》」だ。あんなものが誰《だれ》かに見《み》られたらと思《おも》うと、気《き》が気《き》でない。

「戻《もど》ろう」

陽花《ようか》はいま来《き》たろうかを戻《もど》り、壁《かべ》にかくれて、階段《かいだん》の上《うえ》を確認《かくにん》した。

「なにもいない。大丈夫《だいじょうぶ》っぽい」

うしろからついてきた恵菜《えな》にそうささやき、ふたりで階段《かいだん》をあがっていく。

一階《いっかい》と二階《かい》の間《あいだ》の踊《おど》り場《ば》まであがったとき、ふたりはビクッと立《た》ちどまった。

「も、桃《もも》……」

階段《かいだん》の上《うえ》に、桃《もも》が立《た》っていたのだ。

うす暗《ぐら》いなか、桃《もも》は手《て》をだらんと横《よこ》にたらし、うつむいている。

「よかった!」

恵菜《えな》の表情《ひょうじょう》がぱっと明《あか》るくなった。

「桃《もも》、大丈夫《だいじょうぶ》？　ねぇ………」

しかし恵《え》菜《な》の表情《ひょうじょう》が、だんだんとくもっていく。

桃《もも》がゆっくりと顔《かお》をあげ、ふたりを見《み》おろす。

その顔《かお》は、口《くち》がぶきみにさけた、鬼《おに》の顔《かお》になっていたのだった。

頭《あたま》には二本《ほん》のツノ。うすく開《ひら》いた目《め》は、黒目《くろめ》がちぢんで上《うえ》をむいている。

桃《もも》はニタッと笑《わら》うと、ねばりつくような声《こえ》で言《い》った。

「みぃ、つけ、たぁ」

「いやぁぁぁ！」

恵《え》菜《な》が陽花《ようか》に飛《と》びついた。足《あし》がすくんで動《うご》けないようだ。

陽花《ようか》は彼女《かのじょ》をひっぱった。

「恵《え》菜《な》！　走《はし》らないとあんたもつかまるよ！　逃《に》げよう！」

(手紙《てがみ》を回収《かいしゅう》しないうちは、まだ帰《かえ》るわけにはいかないのよ！)

ふたりは階段《かいだん》をかけおりた。ろうかを走《はし》りぬけ、トイレに飛《と》びこみ、個室《こしつ》に入《はい》って鍵《かぎ》をかける。

便器《べんき》に座《すわ》った恵菜《えな》が、ひざをかかえて泣《な》きだした。

「…………バチがあたったのかな…………うちらが麻衣子《まいこ》にいやなことしたから」

「関係《かんけい》ないでしょ、そんなの」

「でも………」

「鬼女《おにめ》さんのウワサは、麻衣子《まいこ》が死《し》ぬ前《まえ》からあったじゃん。だから麻衣子《まいこ》とは関係《かんけい》ない」

「うっ……………うう……………」

恵菜《えな》は声《こえ》をころして泣《な》きつづけた。

「それより、あいつにつかまったら桃《もも》みたいになっちゃうんだよ？　キモい。『ふやしおに』かっつーの」

鬼《おに》にさわられた人《ひと》は鬼《おに》になってしまう、ふやしおに。

(そんなキモいことに巻《ま》きこまれるなんて絶対《ぜったい》にイヤ！)

恵菜《えな》が顔《かお》をあげて叫《さけ》ぶ。

「なんでそんな冷静《れいせい》なの!?　桃《もも》はどうでもいいの!?」

涙《なみだ》でぐしょぐしょになった顔《かお》で、陽花《ようか》をにらむ。

「陽花《ようか》、変《か》わった…………。引《ひ》っ越《こ》して薄情《はくじょう》になったんじゃない!?」

「声《こえ》、大《おお》きいよ」

(めんどくさい)

早《はや》くここからでて、手紙《てがみ》を回収《かいしゅう》したい。もはや陽花《ようか》はそれしか考《かんが》えていなかった。

個室《こしつ》のドアをそっと開《あ》け、外《そと》をたしかめる。

「誰《だれ》もいない。ここからでるよ」

ほっとして、ふたりが個室《こしつ》からでようとした、そのときだった。

ズリッ。

足《あし》もとで、なにかをひきずるような音《おと》がした。

ふたりが視線《しせん》を落《お》とす。

個室《こしつ》の仕切《しき》りの下《した》のすきまから、鬼《おに》の顔《かお》がズリッと現《あらわ》れた。

鬼《おに》はふたりを見《み》て、ニタッと笑《わら》う。

その髪《かみ》には、見覚《みおぼ》えのあるヘアピンが――――。

「ウアァァッ!」

恵菜《えな》が叫《さけ》び、ふたりは個室《こしつ》を飛《と》びだした。

しかし、トイレのドアをいきおいよく開《あ》けたところで、また足《あし》がとまる。

「ひぃぃぃっ!!」

鬼女《おにめ》がいたのだ。

白《しろ》く浮《う》かぶ顔《かお》が、じりじりと迫《せま》ってくる。

陽花《ようか》はぐっと奥歯《おくば》をかみしめると、恵菜《えな》をひと息《いき》につきとばした。

「えっ!?」

短《みじか》い悲鳴《ひめい》をあげて、恵菜《えな》が鬼女《おにめ》のほうへ倒《たお》れていく。

「陽花《ようか》なにすんの…………?」

涙《なみだ》を浮《う》かべた恵菜《えな》を、鬼女《おにめ》の腕《うで》がつかんだ。

暗闇《くらやみ》をよく見《み》れば、鬼女《おにめ》の他《ほか》にもう一体《いったい》いる。鬼《おに》になった桃《もも》だ。桃《もも》もそこにいて、恵《え》菜《な》の体《からだ》に手《て》をのばしていた。

「よ、陽花《ようか》……あんた、そうやってまたひとりで逃《に》げるんだね!」

鬼《おに》たちが恵菜《えな》に気《き》をとられているすきに、陽花《ようか》はトイレの出入《でい》り口《ぐち》を走《はし》りぬける。

恵菜《えな》は、いままさに暗闇《くらやみ》にひきずりこまれようとしていた。走《はし》って逃《に》げる陽花《ようか》に、恵菜《えな》の必死《ひっし》に叫《さけ》ぶ声《こえ》がとどく。

「麻衣子《まいこ》が死《し》んだときも、ひとりだけさっさと遠《とお》い中学《ちゅうがく》に転校《てんこう》して、本当《ほんとう》は、あんたが一《いち》番《ばん》こわがって――――」

恵菜《えな》の声《こえ》は、そこで聞《き》こえなくなった。かわりに。

ゴキッ。

グシャッ。

なにかがつぶれる音《おと》がしたが、陽花《ようか》は振《ふ》りかえらずにろうかを走《はし》った。

(うるさい！　あんなことに一生《いっしょう》つきまとわれるなんていや!!)

恵菜《えな》の言《い》うとおりだった。陽花《ようか》の家族《かぞく》はこの町《まち》にいるのがいやで、引《ひ》っ越《こ》したのだ。両《りょう》親《しん》も、近所《きんじょ》の人《ひと》にしつこく事件《じけん》のことを質問《しつもん》されるのがいやだと言《い》っていた。

「絶対《ぜったい》、逃《に》げきってやる………!!」

だって私《わたし》は悪《わる》くないんだから――――。

あれは卒業式《そつぎょうしき》の前日《ぜんじつ》だった。

下校時刻《げこうじこく》になり、ランドセルを背負《せお》って校舎《こうしゃ》をでた陽花《ようか》は、誰《だれ》かに呼《よ》びとめられた。

『陽花《ようか》ちゃん』

振《ふ》りかえった陽花《ようか》は、一瞬《いっしゅん》、いまいましそうに顔《かお》をゆがめたあと、笑顔《えがお》を作《つく》った。

『なに？』

『話《はなし》があるんだけど、ちょっといい？』

地味《じみ》な色合《いろあ》いのトレーナーとジーンズを着《き》た麻衣子《まいこ》は、「気《き》をつけ」をするようにまっすぐ立《た》っていた。

長《なが》い前髪《まえがみ》が顔《かお》にかかり、よく見《み》ると、口《くち》の左下《ひだりした》にほくろがある。

(こいつ、こんな顔《かお》してたんだ)

一年間《ねんかん》同《おな》じクラスだったのに、麻衣子《まいこ》の顔《かお》をまともに見《み》たのははじめてだった。

『すぐ終《お》わるならいいけど？』

笑顔《えがお》でそうこたえる。

悲《かな》しそうな目《め》をした麻衣子《まいこ》は、意《い》を決《けっ》したように話《はな》しだした。

『私《わたし》、もともとマリちゃんたちと仲良《なかよ》しだったの』

『うん。それで？』

『でも、みんな、いじめるようになった』

『で？』

麻衣子《まいこ》は、「気《き》をつけ」の姿勢《しせい》のまま、ぽろぽろと泣《な》きだした。

陽花《ようか》を正面《しょうめん》からみつめて、静《しず》かに言《い》う。

『マリちゃんも、ユキちゃんも、チエちゃんたちも、全部《ぜんぶ》、陽花《ようか》ちゃんがなにかを吹《ふ》きこんで味方《みかた》にしたんでしょ』

(こんなところを誰《だれ》かに見《み》られたらやばいな…………)

陽花《ようか》はできるだけ無邪気《むじゃき》に見《み》えるように、グーにした手《て》を頬《ほお》にくっつけ、首《くび》をかしげた。

『え？　ごめん、なに言《い》ってるの？』

涙《なみだ》をふこうともせず、頬《ほお》をぬらしたままの麻衣子《まいこ》は、おさえた声《こえ》で言《い》った。

『…………あなたは、人間《にんげん》の皮《かわ》をかぶった鬼《おに》よ』

(は？　うざいんですけど)

陽花《ようか》はとぼけた顔《かお》でこたえる。

『意味《いみ》わかんなーい』

『私《わたし》、絶対《ぜったい》にあなたのこと、逃《に》がさないから』

口《くち》もとのほくろが、涙《なみだ》でぬれている。

陽花《ようか》はふうっとため息《いき》をついた。これ以上《いじょう》ここにいると、キレてしまいそうだ。

『もう行《い》くね』

麻衣子《まいこ》に背《せ》をむけると、陽花《ようか》は手《て》を振《ふ》って歩《ある》き去《さ》った。

その背中《せなか》に、麻衣子《まいこ》のうなるような声《こえ》がとどく。

『同《おな》じような目《め》にあわせてやる』


あのときの低《ひく》い声《こえ》を、陽花《ようか》はいまでもおぼえている。

「同《おな》じような目《め》に、って……………ふざけんな！」

三階《がい》まで階段《かいだん》を一気《いっき》にかけあがり、ろうかのつきあたりまで走《はし》っていった。

第二教室《だいきょうしつ》の扉《とびら》を開《あ》け、なかに飛《と》びこんでいく。

（棚《たな》にあった……あの手紙《てがみ》……）

黒《くろ》いシミのできた床板《ゆかいた》を踏《ふ》んで棚《たな》にかけ寄《よ》り、冊子《さっし》の束《たば》をつかむ。

「槙村陽花様《まきむらようかさま》」と書《か》かれた封筒《ふうとう》は、さっき見《み》たときと同《おな》じように、そこにあった。

「これさえ……これさえ処分《しょぶん》すれば」

陽花《ようか》は震《ふる》える手《て》で封筒《ふうとう》を開《あ》け、なかから手紙《てがみ》をとりだす。

それを開《ひら》くと、麻衣子《まいこ》の字《じ》で、紙《かみ》いっぱいにこう書《か》いてあった。

逃《に》がさない

そのときだった。

陽花《ようか》のうしろに、なにかが近《ちか》づく気配《けはい》。

振《ふ》りかえると、鬼女《おにめ》の顔《かお》があった。

細《ほそ》い目《め》、横《よこ》にさけた口《くち》。

だが、口《くち》の左下《ひだりした》には、小《ちい》さなほくろが――――。

「…………麻衣《まい》…………子《こ》？」

そう、それは鬼女《おにめ》ではなく、鬼《おに》となった麻衣子《まいこ》だったのだ。


あの日《ひ》。

卒業式《そつぎょうしき》の前日《ぜんじつ》。

校庭《こうてい》で陽花《ようか》と話《はな》したあと、麻衣子《まいこ》は手紙《てがみ》とカッターを持《も》って、この第《だい》二教室《きょうしつ》にやってきた。

扉《とびら》を開《あ》けると、なかは真《ま》っ暗《くら》で、かびくさい。

麻衣子《まいこ》は棚《たな》にあった冊子《さっし》の束《たば》に、手紙《てがみ》をはさんだ。

もう一通《いっつう》の手紙《てがみ》は、陽花《ようか》のランドセルに入《い》れておいた。休《やす》み時間《じかん》にこっそりと。

麻衣子《まいこ》は、棚《たな》の横《よこ》のあの場所《ばしょ》に立《た》ち、小《ちい》さな声《こえ》で言《い》う。

「鬼女《おにめ》さん、私《わたし》を仲間《なかま》にしてください」

そして、カッターの刃《は》をくりだし――――。

ブシュ。

ひと息《いき》に自分《じぶん》の体《からだ》を刺《さ》した。
陽花《ようか》の目《め》に、まぼろしが見《み》えた。
血《ち》を流《なが》し、動《うご》かなくなった麻衣子《まいこ》が、床《ゆか》に倒《たお》れているまぼろし――。
「私《わたし》は悪《わる》くないっ!!」
まぼろしを追《お》いはらうように、陽花《ようか》は両腕《りょううで》を振《ふ》りまわした。
ふと顔《かお》をあげると、天井《てんじょう》の近《ちか》くに、なにかが浮《う》いている。
鬼《おに》の頭《あたま》だ。
鬼《おに》は、床《ゆか》にとどきそうなほど長《なが》い髪《かみ》をうねうねとゆらし、陽花《ようか》を見《み》おろす。
黒目《くろめ》はちぢみ、横《よこ》にさけた口《くち》がニタッと笑《わら》っている。
「………お、鬼女《おにめ》、さん?」
陽花《ようか》がつぶやく。
すると、暗闇《くらやみ》のなかに、ぽっ、ぽっと、ふたつの鬼《おに》の頭《あたま》が現《あらわ》れた。
ヘアピンをした鬼《おに》。

ななめ前髪《まえがみ》の鬼《おに》。
そこに、麻衣子《まいこ》の頭《あたま》もすうっと近《ちか》づいてくる。
三《みっ》つの鬼《おに》の頭《あたま》は、陽花《ようか》をとりかこんで見《み》おろし、笑《わら》う。
陽花《ようか》にはようやくわかった。あの手紙《てがみ》は陽花《ようか》をここへおびきだすためのもの。
（そうか。全部《ぜんぶ》、全部《ぜんぶ》、私《わたし》をつかまえるための………）
麻衣子《まいこ》がしかけた、復讐《ふくしゅう》の鬼《おに》ごっこだったのだ。
麻衣子《まいこ》の鬼《おに》の頭《あたま》が、すうっとおりてくる。
そして、陽花《ようか》の正面《しょうめん》まで来《く》ると、楽《たの》しげな声《こえ》で言《い》った。
「つーかまえたぁ」

エピローグ

百二十六時間目《ひゃくにじゅうろくじかんめ》の授業《じゅぎょう》を終了《しゅうりょう》します。

クラスのリーダーだった少女《しょうじょ》。

彼女《かのじょ》は少《すこ》しずつクラスメイトを味方《みかた》につけ、ひとりの少女《しょうじょ》を孤立《こりつ》させていきました。

まるで「ふやしおに」のように。

自分《じぶん》がされたように追《お》いつめることが、孤立《こりつ》した少女《しょうじょ》の復讐《ふくしゅう》だったのでしょう。

鬼女《おにめ》さんに願《ねが》いをかなえてもらった少女《しょうじょ》は鬼《おに》となり、鬼《おに》をふやしていきました。

そう、まるで「ふやしおに」のように…………。

あの小学校《しょうがっこう》では、いまでも鬼女《おにめ》さんのウワサがささやかれているそうです。

第二教室《だいにきょうしつ》は「鬼女《おにめ》さんの教室《きょうしつ》」と呼《よ》ばれていて、肝《きも》だめしにでかけていく人《ひと》もいるという話《はなし》です。

でも、興味本位《きょうみほんい》で近《ちか》づくのは危険《きけん》ですよ。
見《み》える人《ひと》には見《み》えるのです。
そこには、口《くち》もとにほくろのある鬼《おに》や、ショートボブの鬼《おに》がいます。
もし鬼《おに》の姿《すがた》が見《み》えたら、逃《に》げてくださいね。
つかまったら大変《たいへん》なことになりますから。
それでは、次回《じかい》の絶叫学級《ぜっきょうがっきゅう》でまたお会《あ》いしましょう！

絶叫学級《ぜっきょうがっきゅう》

絶叫学級
課外授業《かがいじゅぎょう》
「還《かえ》りの鐘《かね》」
RMC『絶叫学級《ぜっきょうがっきゅう》』⑰巻《かん》
特別編《とくべつへん》 課外授業《かがいじゅぎょう》
みなさん こんにちは
もうひとつの絶叫学級《ぜっきょうがっきゅう》へ ようこそ
今回《こんかい》ご紹介《しょうかい》するお話《はなし》は「還《かえ》りの鐘《かね》」です
仲《なか》の悪《わる》い家族《かぞく》が嫌《いや》で家出《いえで》をした主人公《しゅじんこう》・美月《みづき》
満月《まんげつ》の夜《よる》に鐘《かね》をならすと願《ねが》いが叶《かな》うという噂《うわさ》がある寺《てら》でやけになって鐘《かね》をならしてしまいました

気《き》がつくと そこは 昭和《しょうわ》20年《ねん》 太平洋戦争中《たいへいようせんそうちゅう》の 時代《じだい》でした
美月《みづき》は過去《かこ》に タイムスリップして しまったのです
そこで出会《であ》った 同《おな》い年《どし》の少女《しょうじょ》 沙和《さわ》
帰《かえ》る家《いえ》 ないの？ じゃあ うちに きなよ
美月《みづき》は彼女《かのじょ》の 家《いえ》にいそうろう することになり…
しかし戦況《せんきょう》は 悪化《あっか》するばかり
果《は》たして美月《みづき》は 元《もと》の時代《じだい》に帰《かえ》る ことができるので しょうか…
そして彼女《かのじょ》の 願《ねが》いとは…
気《き》になる方《かた》は 『絶叫学級《ぜっきょうがっきゅう》』17巻《かん》を どうぞ

この作品は、集英社よりコミックスとして刊行された『絶叫学級 転生』9、11、12、13巻をもとに、ノベライズしたものです。

集英社みらい文庫

絶叫学級《ぜっきょうがっきゅう》
報復《ほうふく》ゲームのはじまり 編《へん》

いしかわえみ 原作・絵
はのまきみ 著

ファンレターのあて先
〒101-8050 東京都千代田区一ツ橋2-5-10 集英社みらい文庫編集部
いただいたお便りは編集部から先生におわたしいたします。

2022年6月29日 第1刷発行

発行者 北畠輝幸
発行所 株式会社 集英社
〒101-8050 東京都千代田区一ツ橋2-5-10
電話 編集部 03-3230-6246
読者係 03-3230-6080
販売部 03-3230-6393（書店専用）
https://miraibunko.jp
装丁 小松昇（Rise Design Room） 中島由佳理
印刷 凸版印刷株式会社
製本 凸版印刷株式会社

★この作品はフィクションです。実在の人物・団体・事件などにはいっさい関係ありません。
ISBN978-4-08-321728-9 C8293 N.D.C.913 188P 18cm

「りぼん」連載《れんさい》の
人気《にんき》ホラー・コミックのノベライズ!!

いしかわえみ・原作/絵
はのまきみ(25より)
桑野和明《くわのかずあき》(24まで)
・著

既刊案内《きかんあんない》

32 コンプレックスの奴隷《どれい》編《へん》

プリクラに写《うつ》っていた女《おんな》の子《こ》を真似《まね》してオシャレをはじめる「カリスマスクール」ほか4話《わ》を収録《しゅうろく》!

33 ウワサ話《ばなし》の黒幕《くろまく》編《へん》

スマホにあった撮《と》った覚《おぼ》えのない写真《しゃしん》がだんだんと動《うご》きはじめる「君《きみ》のヒロイン」ほか4話《わ》を収録《しゅうろく》!

最新刊《さいしんかん》

34 報復《ほうふく》ゲームのはじまり編《へん》

6年《ねん》2組《くみ》の子《こ》どもたちが命《いのち》がけの椅《い》子《す》とりゲームを強《きょう》制《せい》される「DEATH《デス》 GAME《ゲーム》」ほか4話《わ》を収録《しゅうろく》!

「みらい文庫《ぶんこ》」読者《どくしゃ》のみなさんへ

言葉《ことば》を学《まな》ぶ、感性《かんせい》を磨《みが》く、創造力《そうぞうりょく》を育《はぐく》む……、読書《どくしょ》は「人間力《にんげんりょく》」を高《たか》めるために欠《か》かせません。
たった一枚《いちまい》のページをめくる向《む》こう側《がわ》に、未知《みち》の世界《せかい》、ドキドキのみらいが無限《むげん》に広《ひろ》がっている。
これこそが「本《ほん》」だけが持《も》っているパワーです。

学校《がっこう》の朝《あさ》の読書《どくしょ》に、休《やす》み時間《じかん》に、放課後《ほうかご》に……。いつでも、どこでも、すぐに続《つづ》きを読《よ》みたくなるような、魅力《みりょく》に溢《あふ》れる本《ほん》をたくさん揃《そろ》えていきたい。読書《どくしょ》がくれる、心《こころ》がきらきらしたり胸《むね》がきゅんとする瞬間《しゅんかん》を体験《たいけん》してほしい、楽《たの》しんでほしい。みらいの日本《にほん》、そして世界《せかい》を担《にな》うみなさんが、やがて大人《おとな》になった時《とき》、「読書《どくしょ》の魅力《みりょく》を初《はじ》めて知《し》った本《ほん》」「自分《じぶん》のおこづかいで初《はじ》めて買《か》った一冊《いっさつ》」と思《おも》い出《だ》してくれるような作品《さくひん》を一所懸命《いっしょけんめい》、大切《たいせつ》に創《つく》っていきたい。

そんないっぱいの想《おも》いを込《こ》めながら、作家《さっか》の先生方《せんせいがた》と一緒《いっしょ》に、私《わたし》たちは素敵《すてき》な本作《ほんづく》りを続《つづ》けていきます。「みらい文庫《ぶんこ》」は、無限《むげん》の宇宙《うちゅう》に浮《う》かぶ星《ほし》のように、夢《ゆめ》をたたえ輝《かがや》きながら、次々《つぎつぎ》と新《あたら》しく生《う》まれ続《つづ》けます。

本《ほん》を持《も》つ、その手《て》の中《なか》に、ドキドキするみらい──。
本《ほん》の宇宙《うちゅう》から、自分《じぶん》だけの健《すこ》やかな空想力《くうそうりょく》を育《そだ》て、〝みらいの星《ほし》〟をたくさん見《み》つけてください。
そして、大切《たいせつ》なこと、大切《たいせつ》な人《ひと》をきちんと守《まも》る、強《つよ》くて、やさしい大人《おとな》になってくれることを心《こころ》から願《ねが》っています。

2011年《ねん》　春《はる》

集英社《しゅうえいしゃ》みらい文庫《ぶんこ》編集部《へんしゅうぶ》